中国书法名碑名帖原色放大本

唐·李邕李思训碑

胡紫桂 主编

全国百佳图书出版单位
湖南美术出版社

图书在版编目（CIP）数据

唐·李邕李思训碑 / 胡紫桂主编. —长沙：湖南美术出版社，2015.10

（中国书法名碑名帖原色放大本）

ISBN 978-7-5356-7585-9

Ⅰ. ①唐… Ⅱ. ①胡… Ⅲ. ①行书－碑帖－中国－唐代 Ⅳ. ①J292.24

中国版本图书馆CIP数据核字（2016）第021058号

Tang · Li Yong Li Sixun Bei

唐·李邕李思训碑

（中国书法名碑名帖原色放大本）

出 版 人：黄　啸

主　　编：胡紫桂

副 主 编：邹方斌　陈　麟

编　　委：谢友国　倪丽华　齐　飞

责任编辑：邹方斌

装帧设计：造书房

版式设计：彭　莹

出版发行：湖南美术出版社

（长沙市东二环一段622号）

经　　销：全国新华书店

印　　刷：成都中嘉设计印务有限责任公司

（成都蛟龙工业港双流园区李渡路街道80号）

开　　本：889×1194　1/8

印　　张：6.5

版　　次：2015年10月第1版

印　　次：2019年11月第2次印刷

书　　号：ISBN 978-7-5356-7585-9

定　　价：45.00元

邮购联系：028-85939832　邮编：610041

网　　址：http://www.scwj.net

电子邮箱：contact@scwj.net

如有倒装、破损、少页等印装质量问题，请与印刷厂联系斢换。

联系电话：028-85939809

李邕（678—747），字泰和，广陵江都（今江苏扬州）人。其父李善，曾为《文选》作注。李邕幼承家学，少年成名，历任户部员外郎、括州刺史、北海太守，故人称「李北海」。李邕精于翰墨，尤擅行书。以行书入碑自唐太宗后，风气渐开，应者云集，李邕为其中大家。李邕书初学右军，「顿挫起伏既得其妙，复乃摆脱旧习，笔力一新」（《宣和书谱》）。其云「学我者死，似我者俗」，颇为自得。史称其一生撰碑八百余通，流传至今者有《李思训碑》《岳麓寺碑》等。

《李思训碑》全称《唐故云麾将军右武卫大将军赠秦州都督彭国公谥曰昭公李府君神道碑并序》，亦称《云麾将军碑》，李邕撰并书。《金石萃编》载：碑高一丈一尺三寸六分，宽四尺八寸五分。额题篆书「唐故右武卫大将军李府君碑」4行12字。正文行书30行，行70字。碑石下截文字损毁严重，上截亦布满石花，现存陕西蒲城桥陵。

此碑记述碑主李思训生平功绩。李思训（651—716），字建，唐高祖李渊堂弟长平王李叔良之孙，李孝斌之子，李林甫之伯父。以战功闻名于时，曾任右武卫大将军，世称「大李将军」。除战功卓著外，李思训还擅画青绿山水，师事展子虔，「其画山水树石，笔格遒劲，湍濑潺湲，云霞缥缈，时睹神仙之事，窅然岩岭之幽」（张彦远《历代名画记》）。《唐朝名画录》称他为「国朝山水第一」。明代董其昌推其为「北宗」之祖。

《李思训碑》书法瘦劲，笔力雄健，字形多欹侧取势，奇宕流畅。笔画伸张，体态丰盈，寓妩媚于豪放。风度闲雅，温和蕴藉。当时杜甫即赞云：「声华当健笔，洒落富清制。」明董其昌赞曰：「右军如龙，北海如象。」清刘熙载《艺概》中评云：「李北海书气体高异，所难尤在一点一画皆如抛砖落地，使人不敢以虚憍之意拟之。」明杨慎云：「李北海书，《云麾将军碑》为第一。」梁启超则谓：「北海碑版照四裔，《云麾》尤极龙跳虎卧之姿。」

唐故雲麾將軍
右武衛大將軍
贈秦州都督
國公謚曰昭公

唐故云麾将军、右武卫大将军、赠秦州都督、彭国公、谥曰昭公、

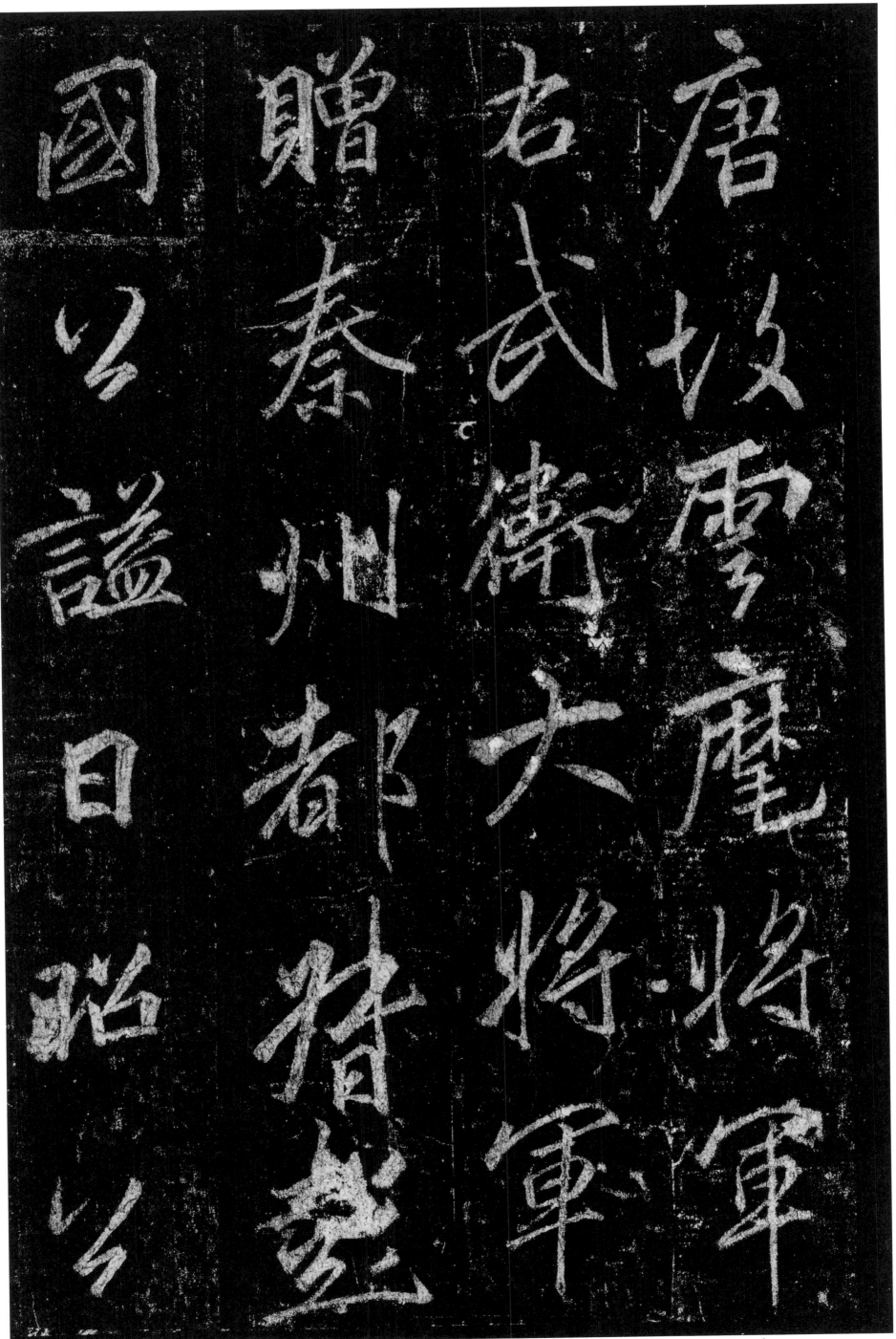

李府君神道碑并序。观夫地高公族，才秀国华，德

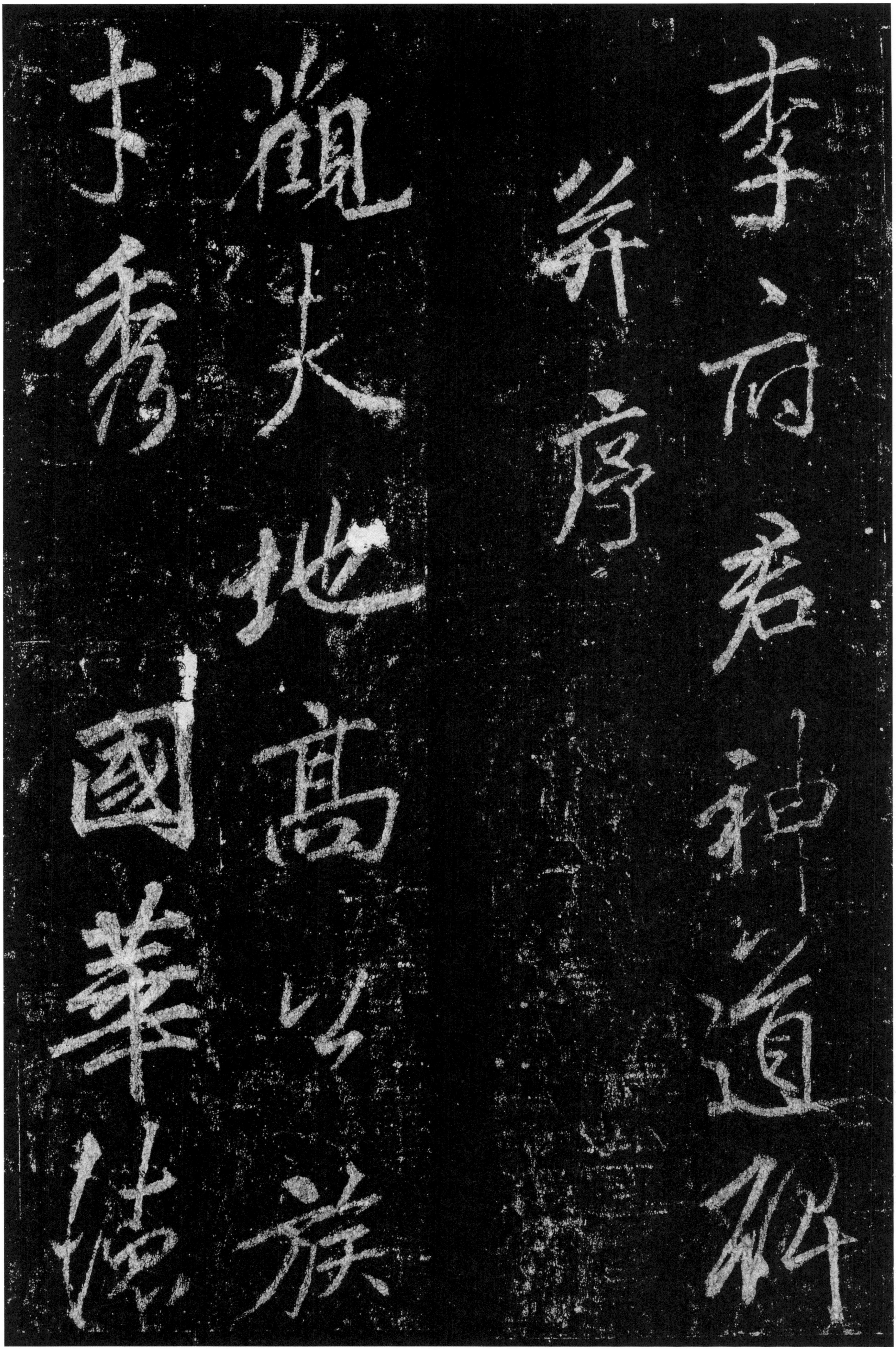

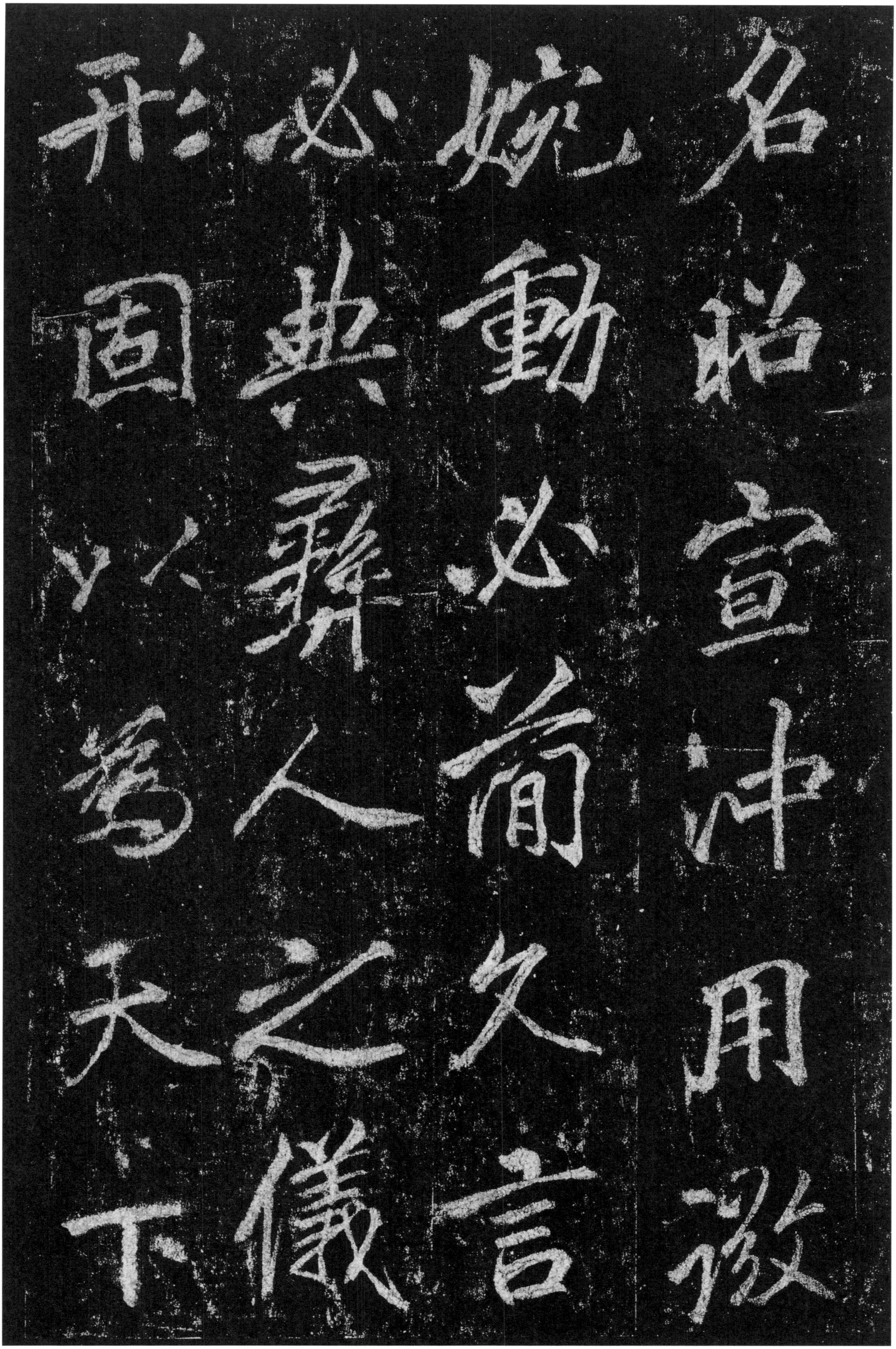

名昭宣，冲用微婉，动必简久，言必典彝，人之仪形，固以为天下

式守中，辐重养福，亢宗以长其代，迈德以闳其门者，其惟我彭

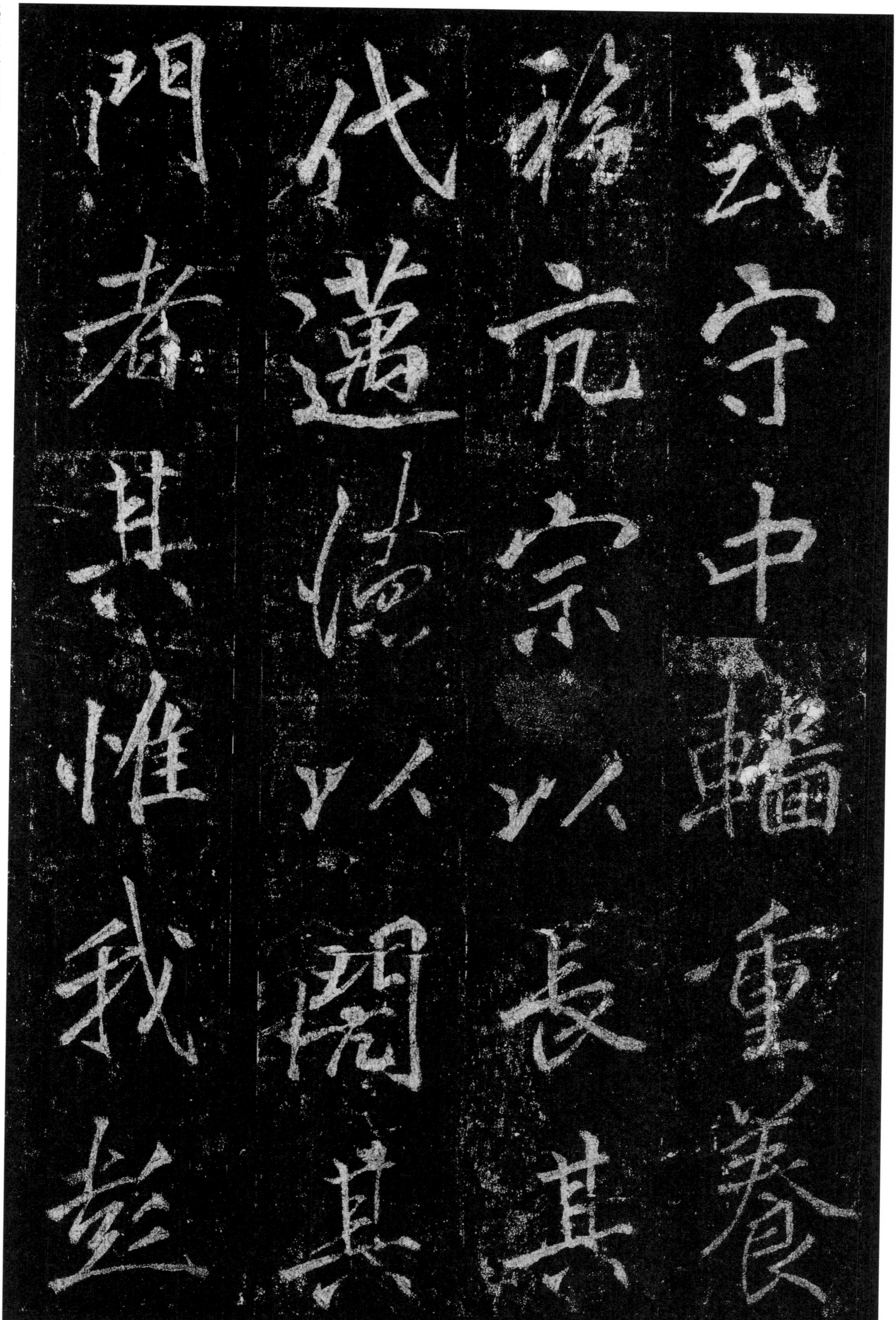

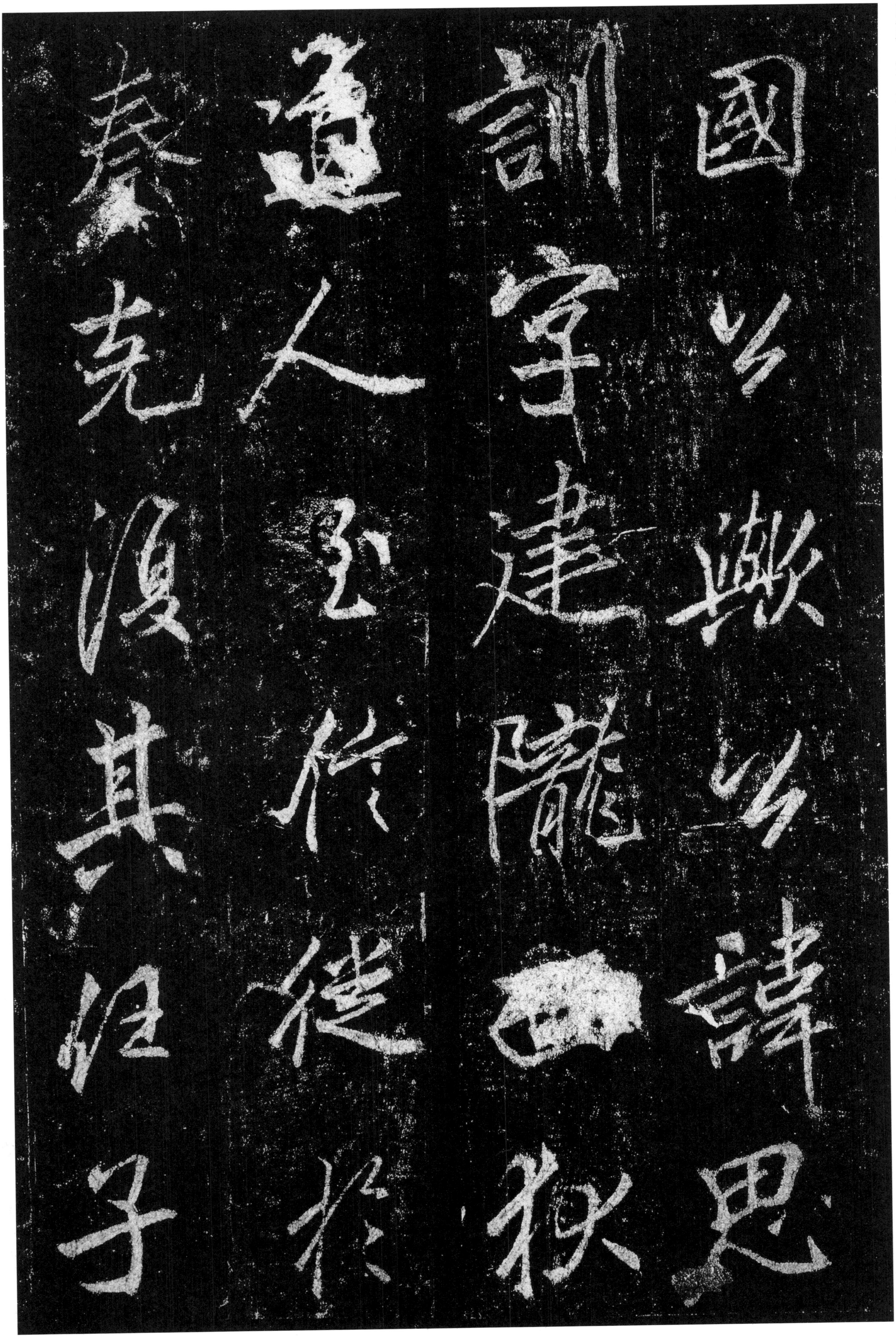

国公欤？公讳思训，字建，陇西狄道人……至信徙於秦，克复其任，子

仲翔讨叛羌于狄道，子伯考因家焉。洎孙汉前将军广，子侍中

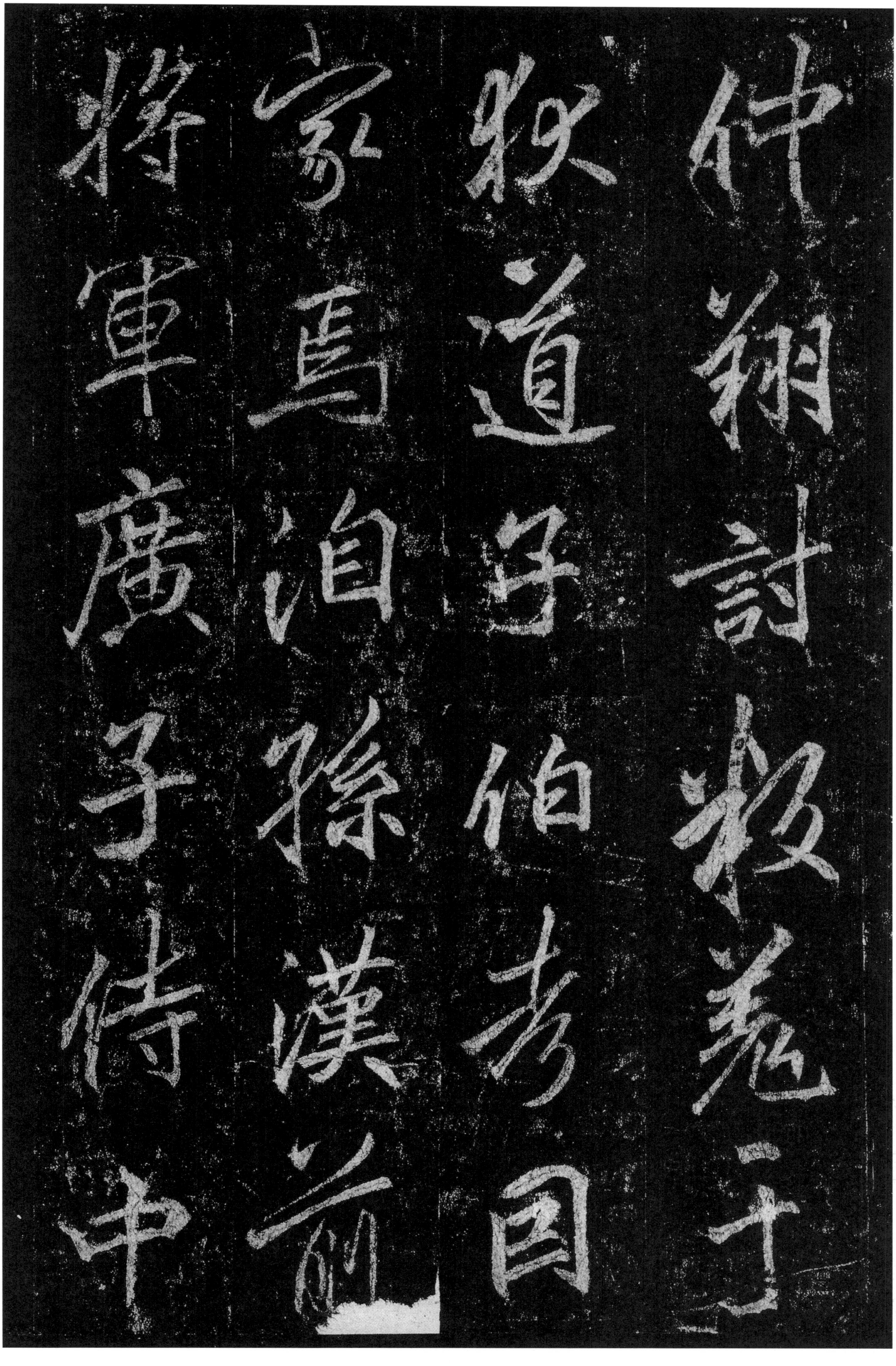

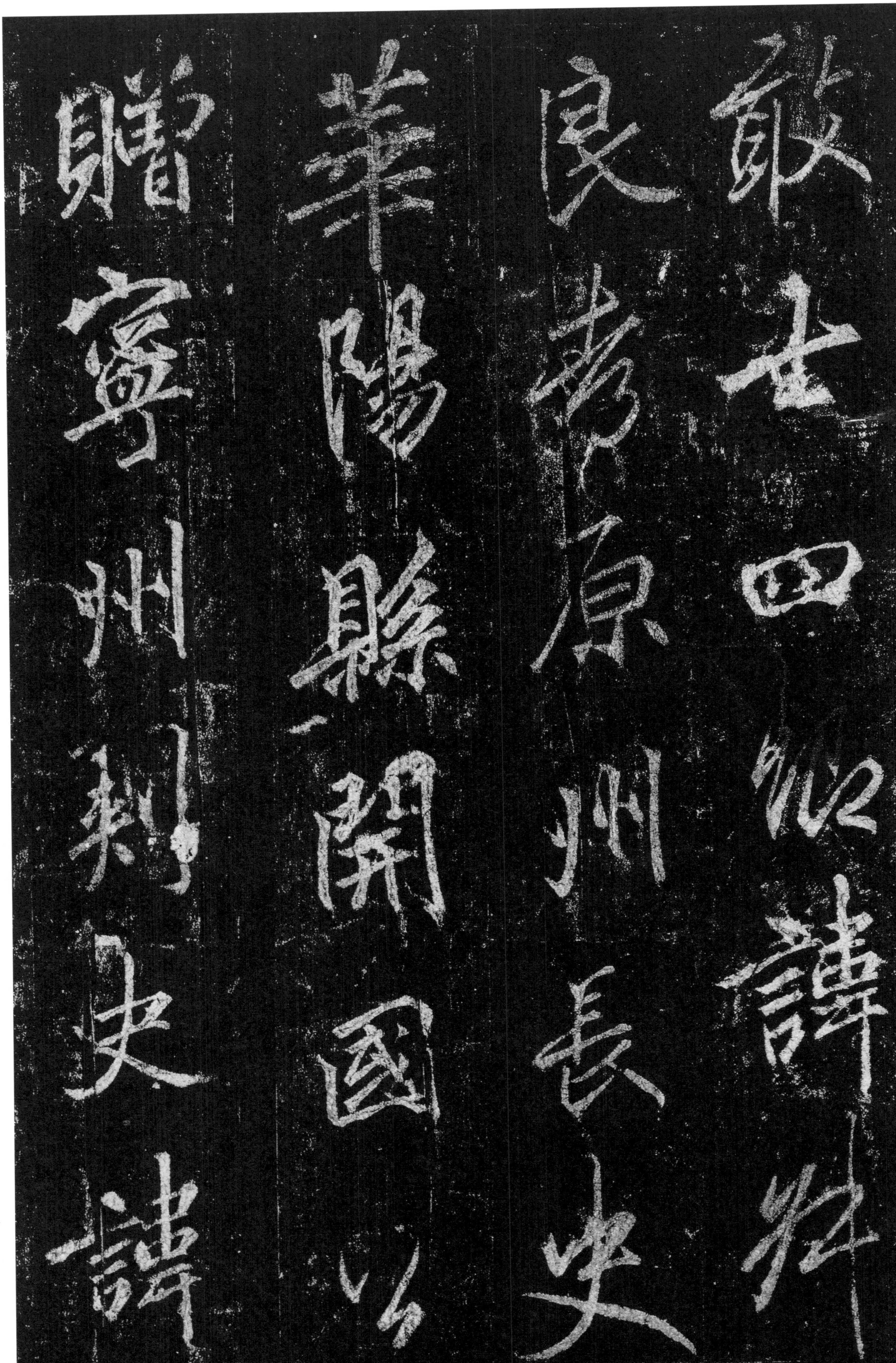

敢士四……卿讳叔良，都原州长史华阳县开国公、赠宁州刺史讳

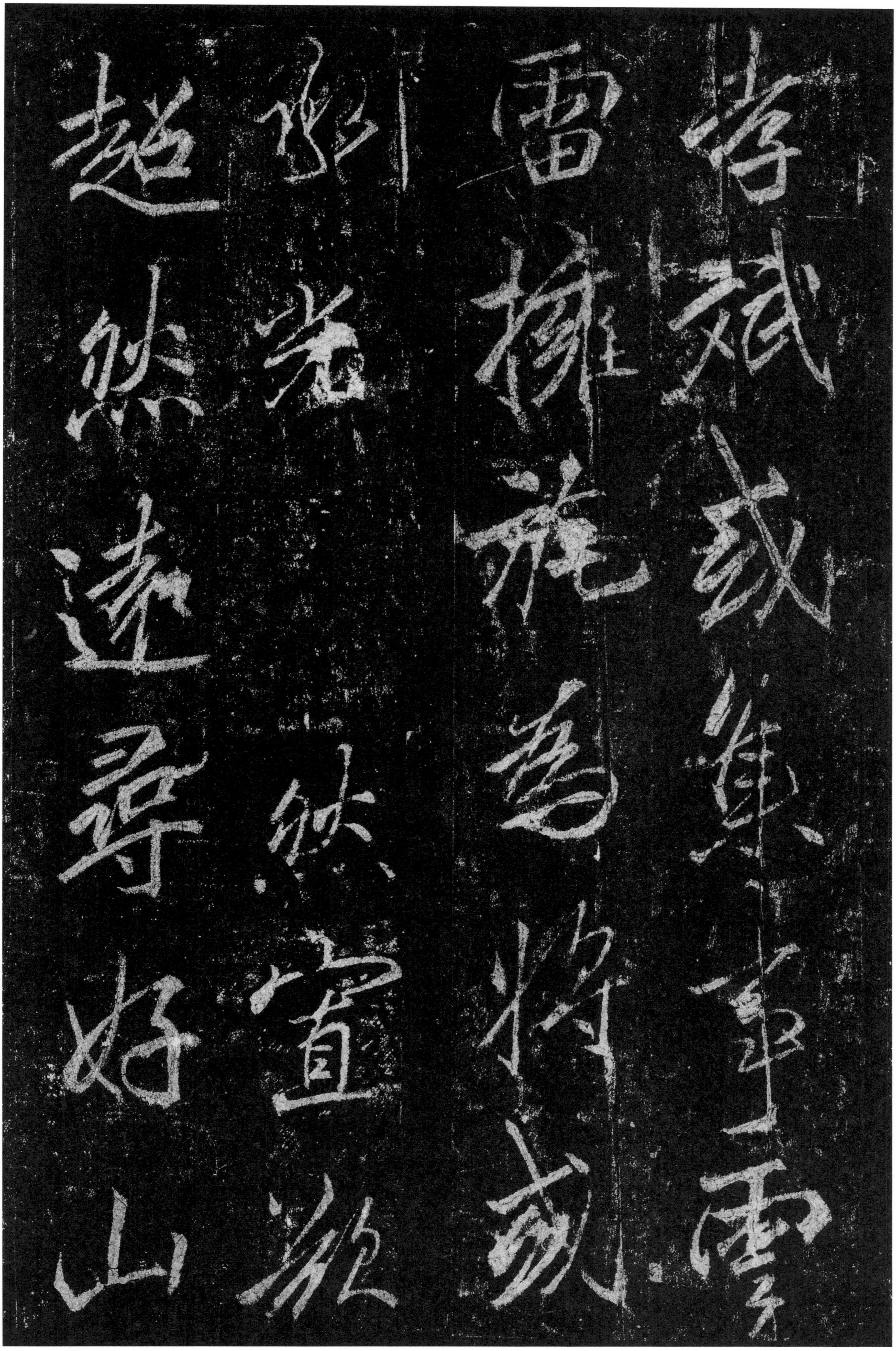

孝斌，或集事云雷，拥旄为将。或承光……然寡欲，超然远寻，好山

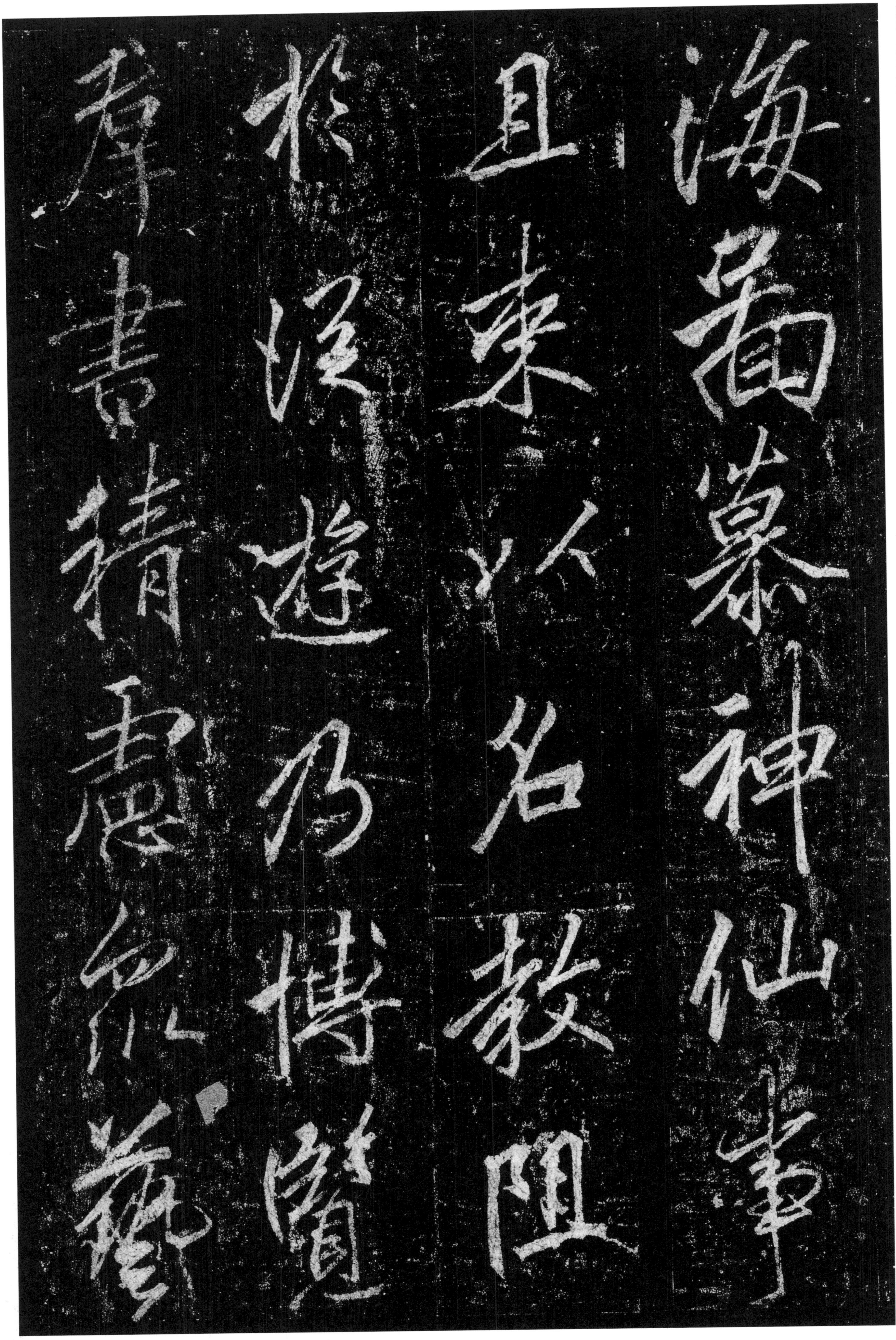

海图，慕神仙事。且束以名教，阻于从游，乃博览群书，精虑众艺，

百口偕妙……耸义，直道首公。非忠益之论，不关于言；非侯度之谟，

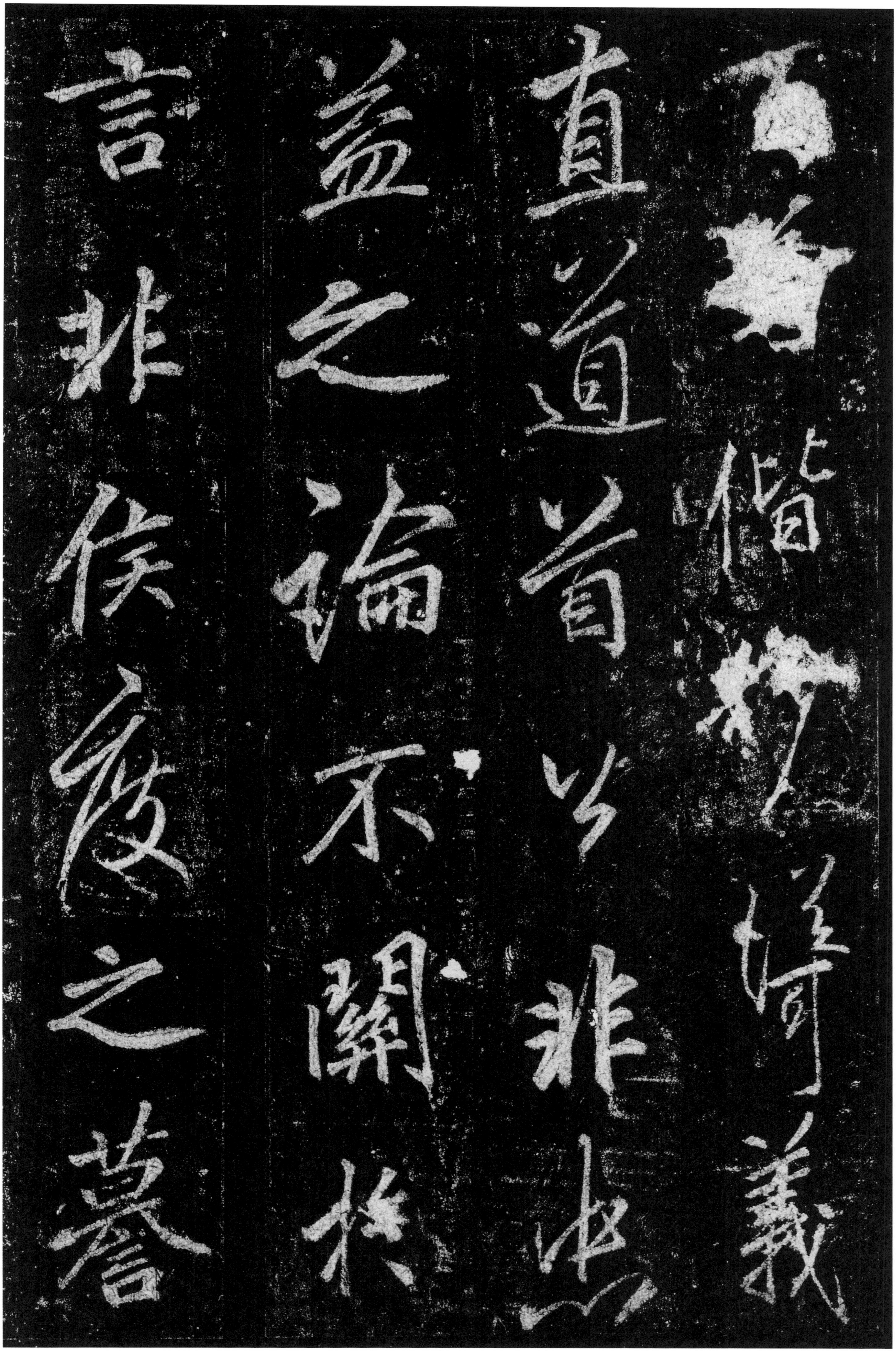

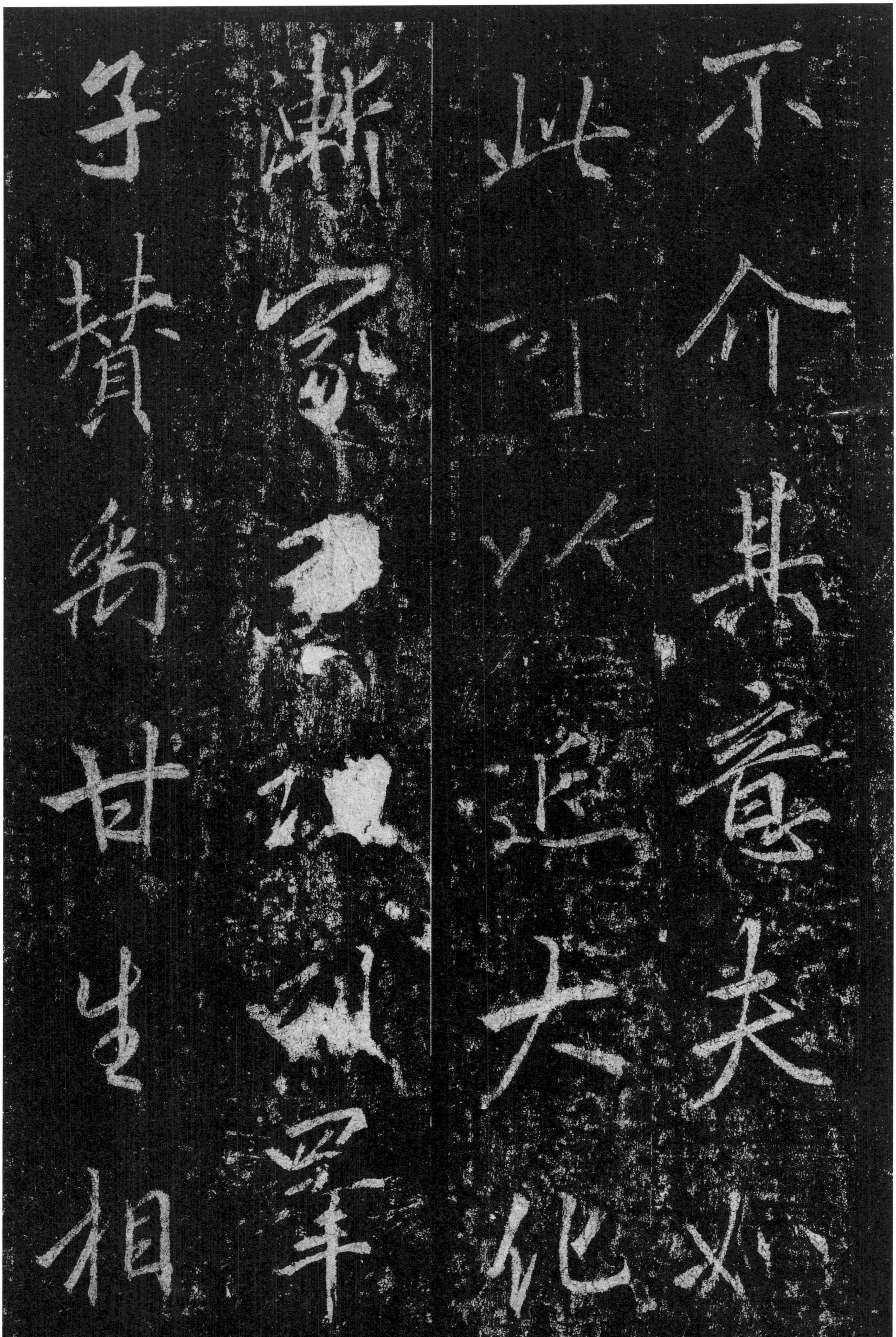

不介其意：夫如此，可以近大化，渐家□□……罣子赞禹，甘生相

秦，莫可得而闻已。十有四，补崇文生，举经明行，修科甲，明年吏

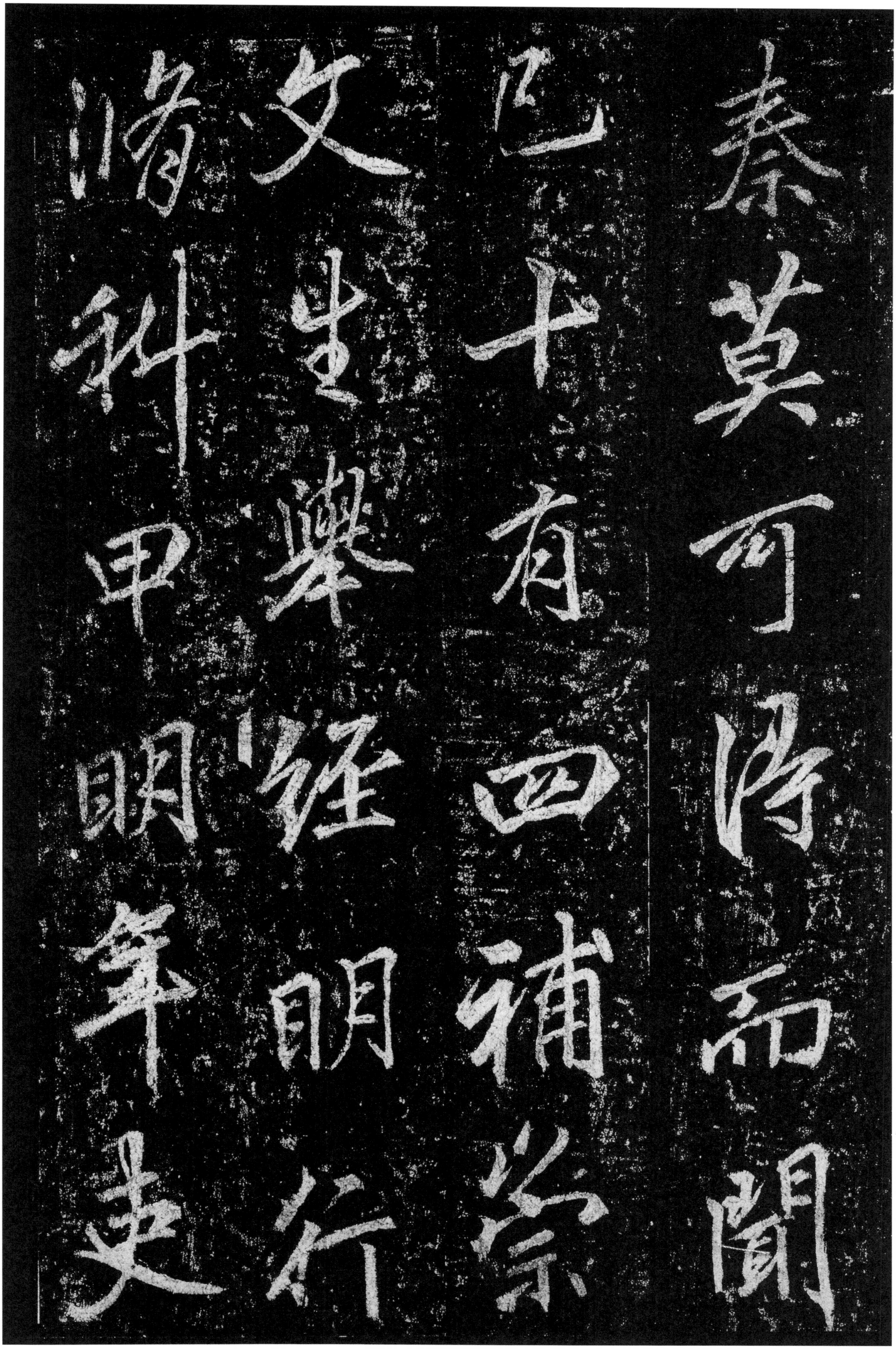

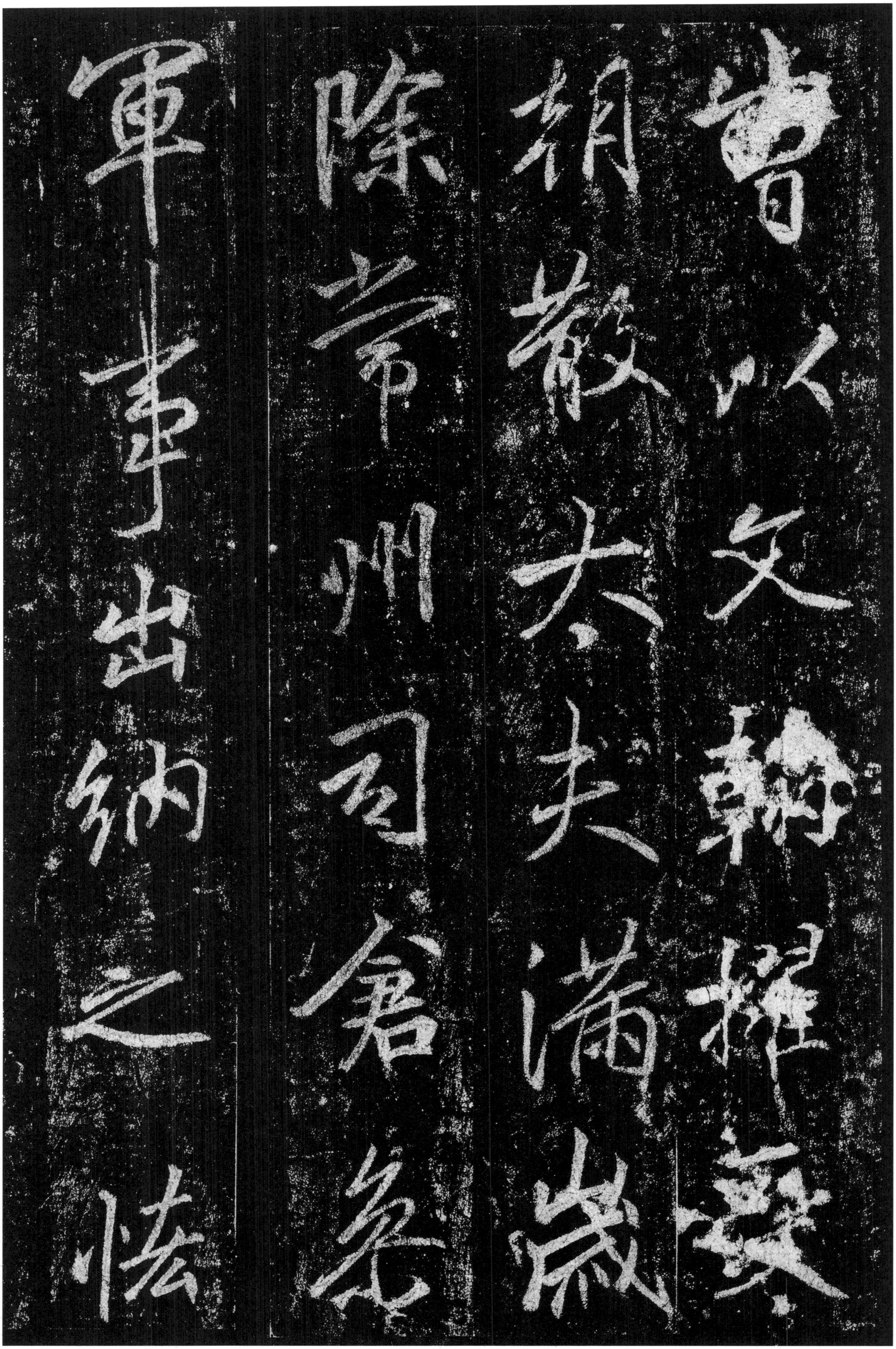

曹以文翰擢□……朝散太（大）夫，满岁除常州司仓参军事。出纳之吝，

职司其忧，盖小小者于时也。鼎湖龙升，□宫口……叹近关而出，

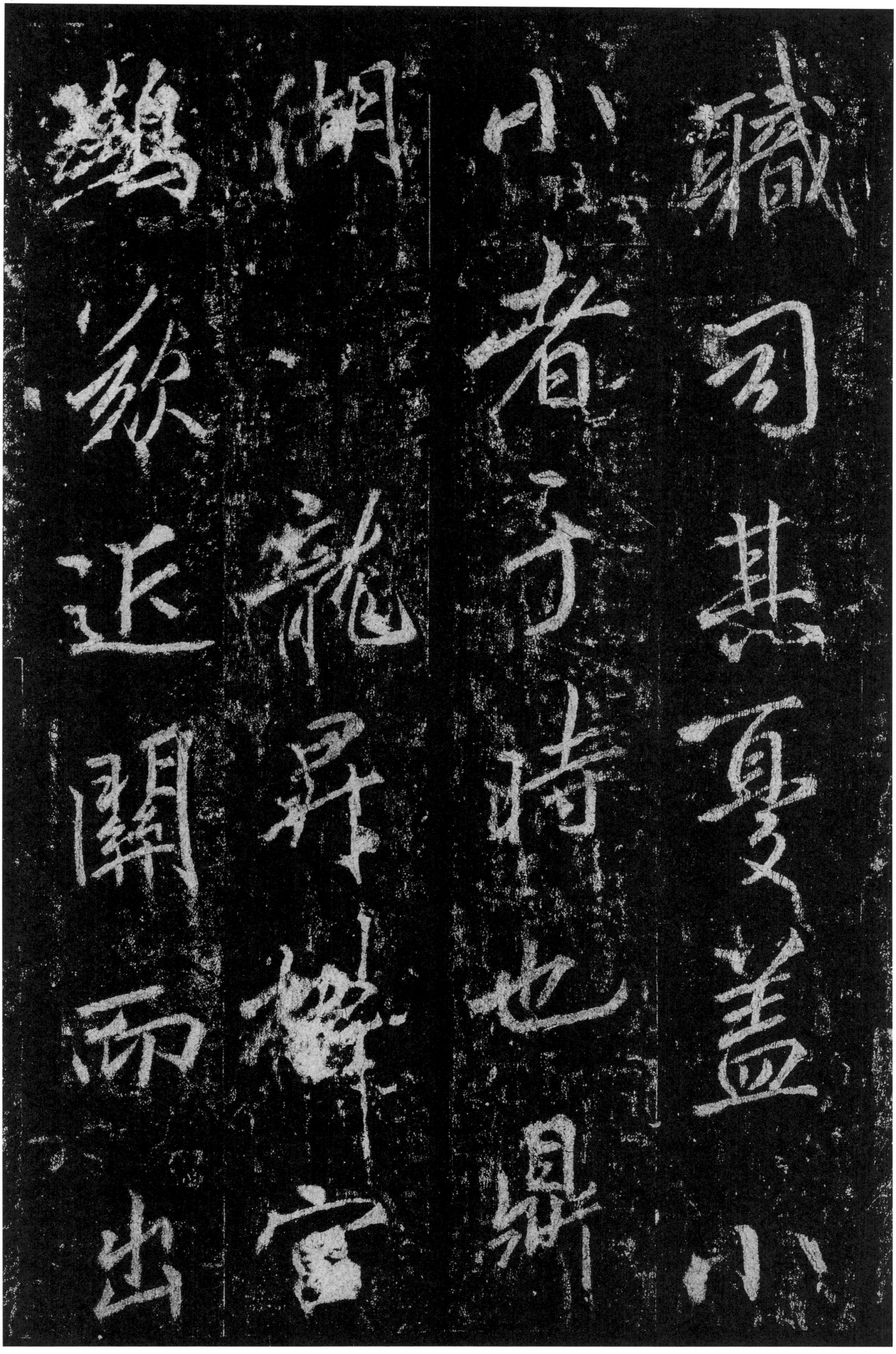

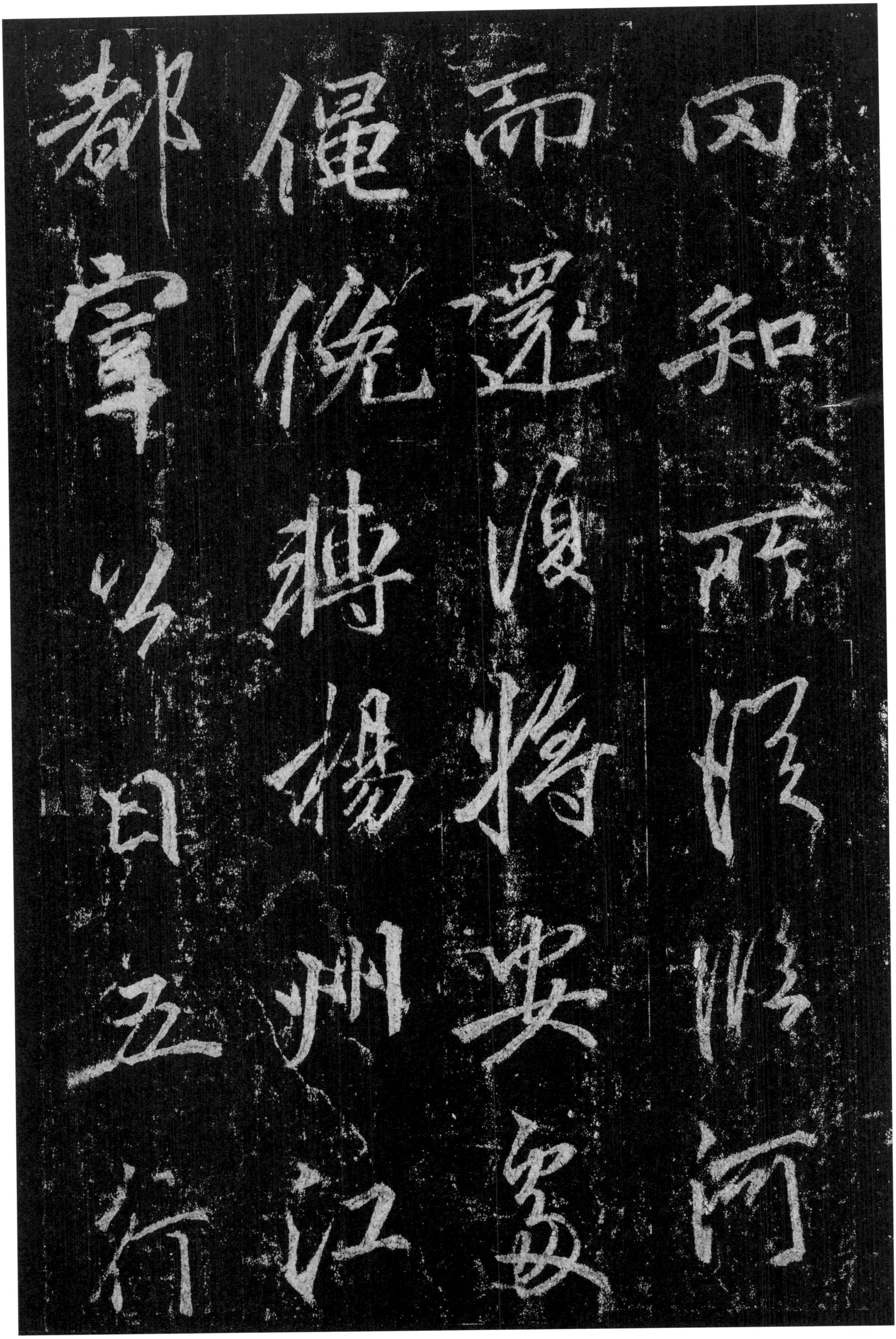

冈（罔）知所从，临河而还，复将安处？偁俛转扬州江都宰，公曰：五行、

四时、十二月还□□……情。敷祐话言，所以广德化；扇扬和气，所以

畅仁心。及履霜坚冰，终风折木，公叹曰：天□雨峨□□……诟侯时，

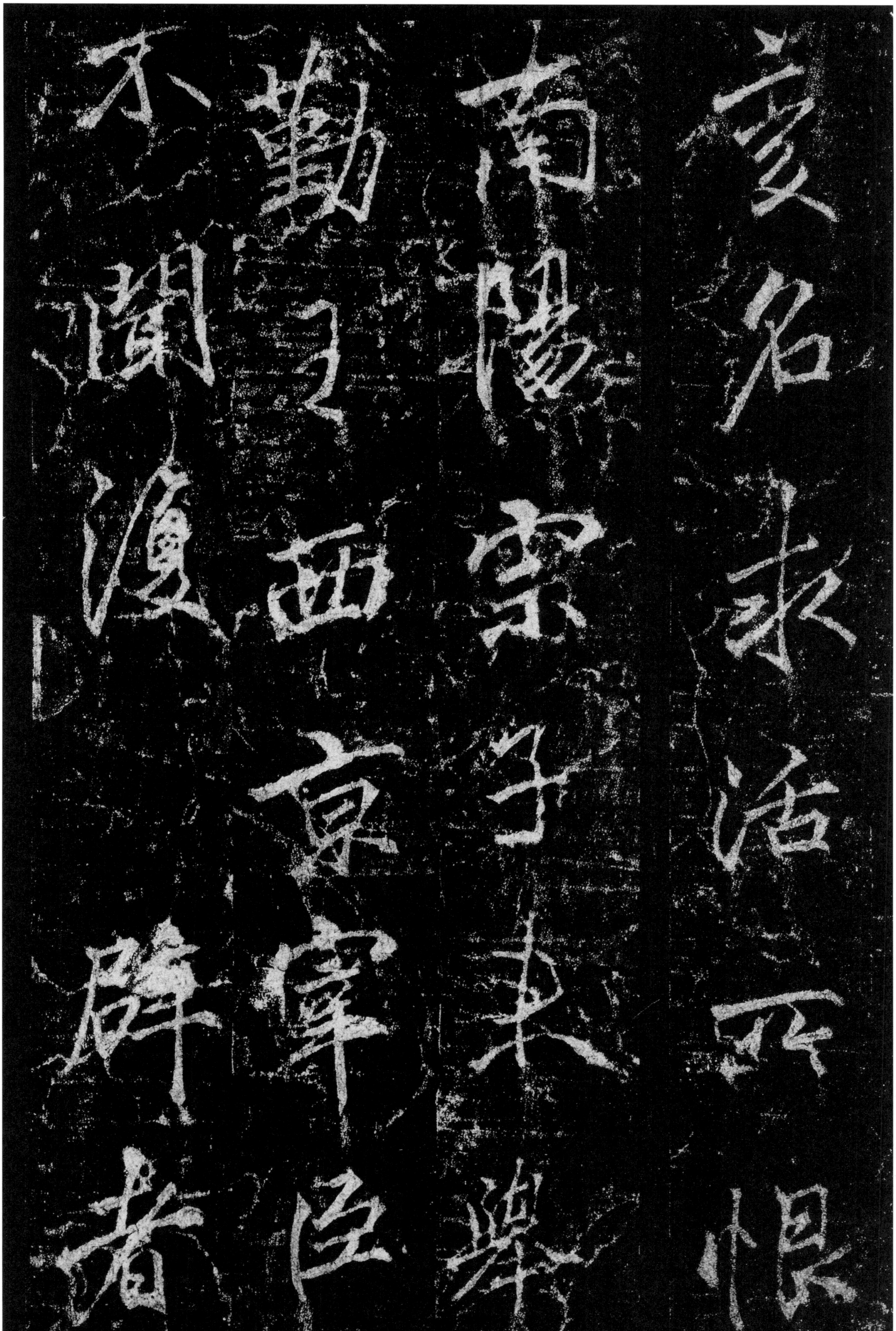

变名求活。所恨南阳宗子，未举勤王；西京宰臣，不闻复辟者，

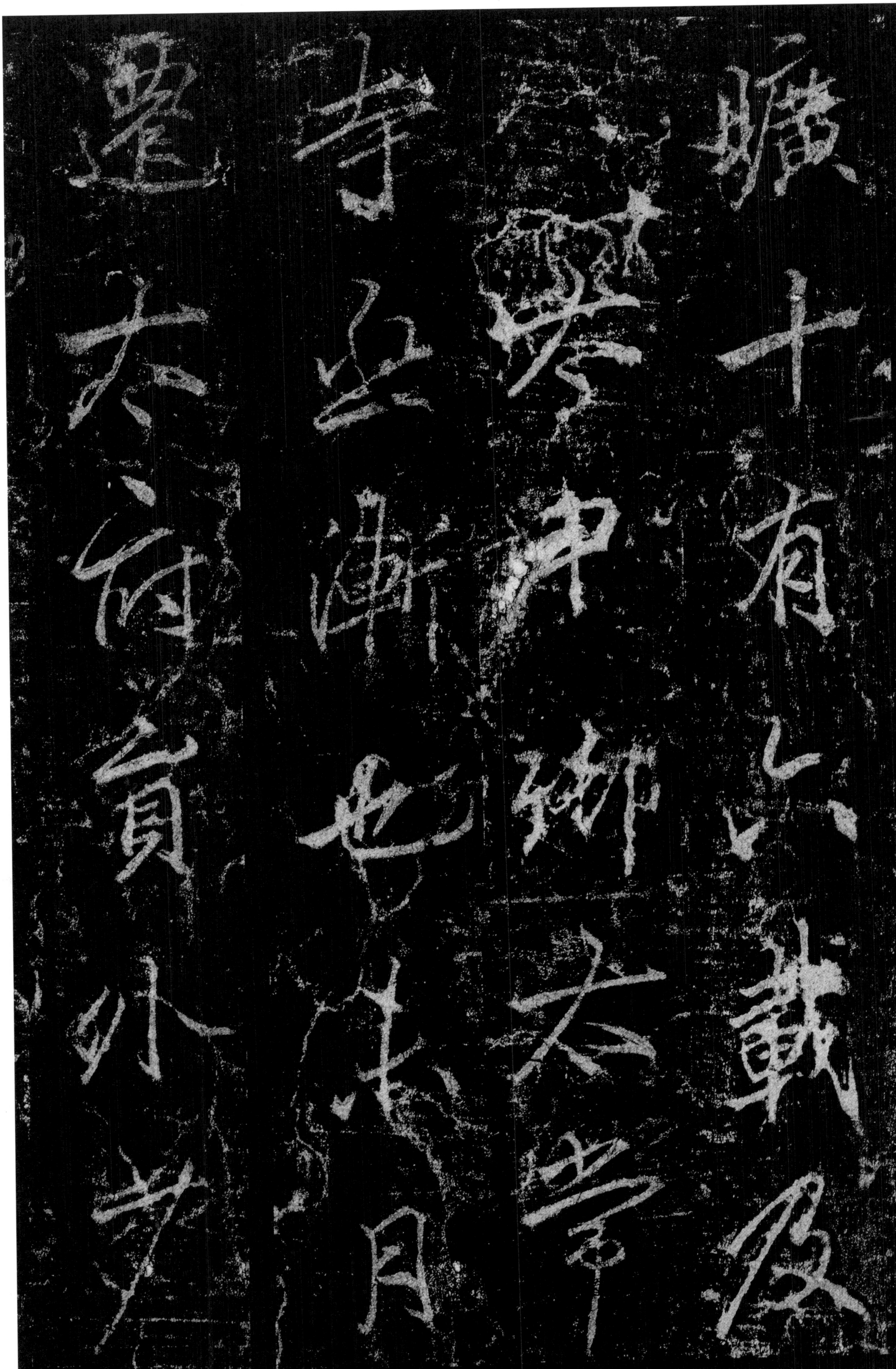

旷十有六载。及太□□……太常寺丞，渐也。未月，迁太府员外少

卿，五旬擢宗正，即真彤伯，加陇西郡开国公，食邑三千户口……吠。

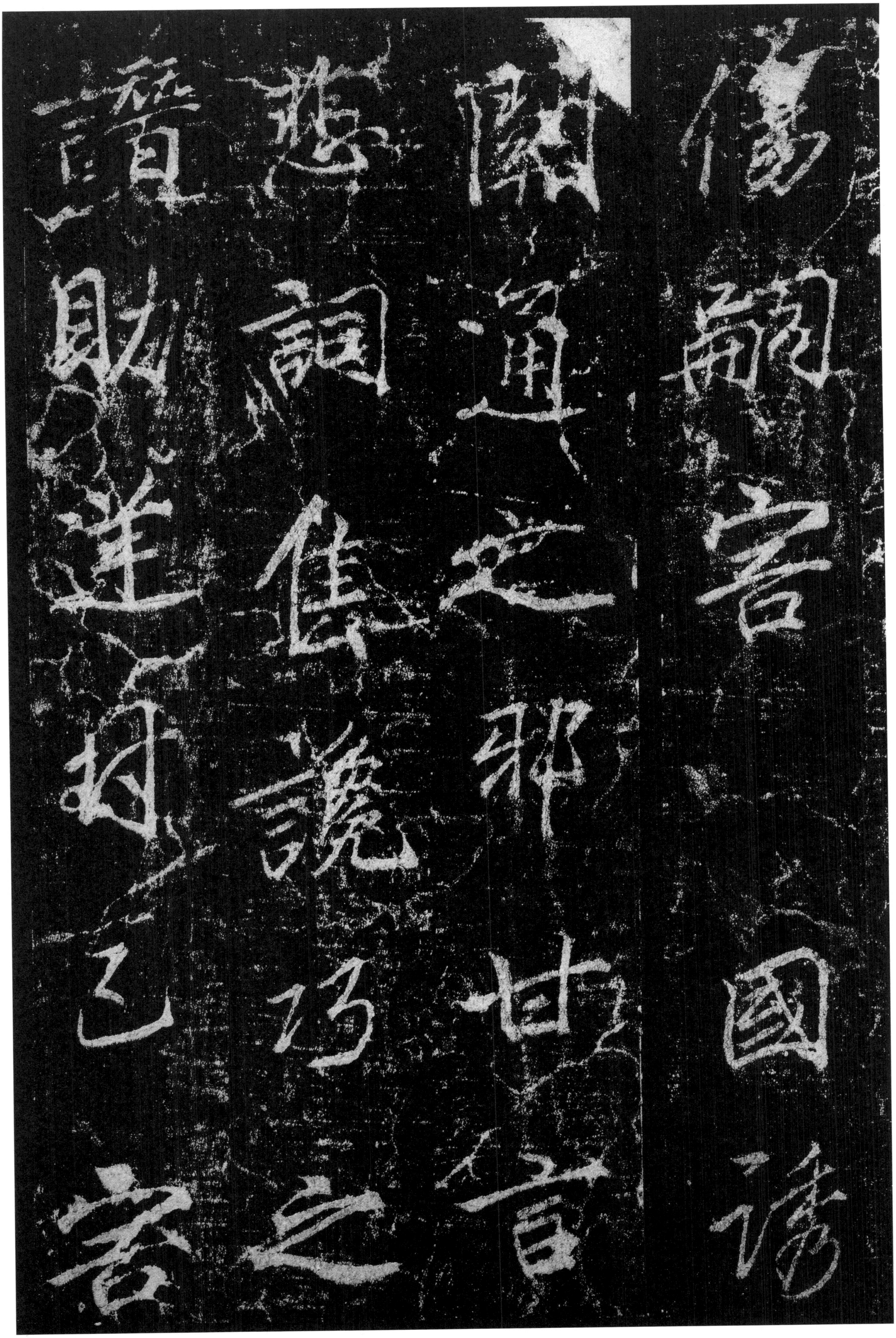

伤嗣害国，诱关通之邪；甘言悲词，售谗巧之谮。助逆封己，害

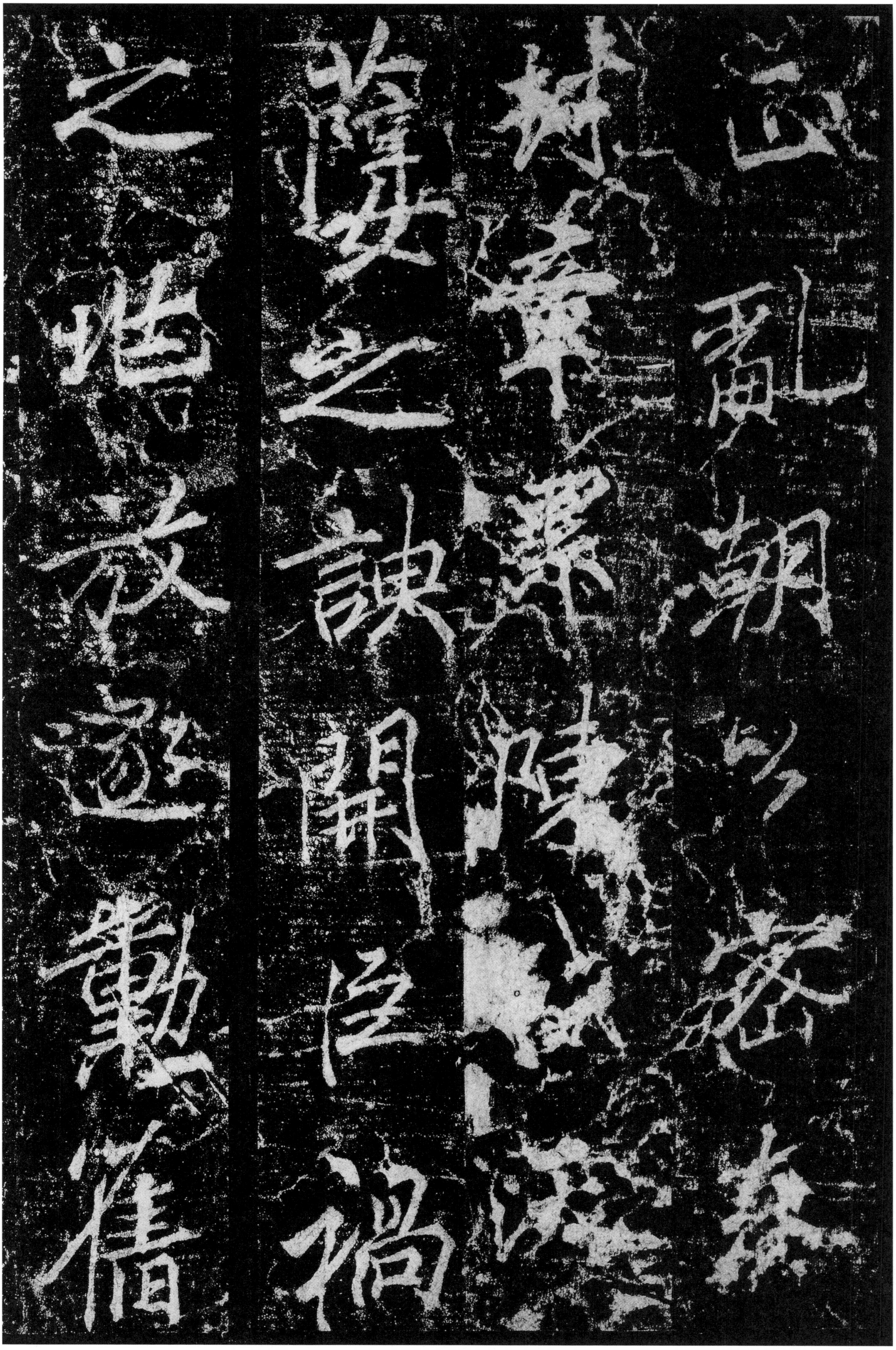

正乱朝，公密奏封章，累陈□□……蘖之谀，开臣祸之兆。放逐勋旧，

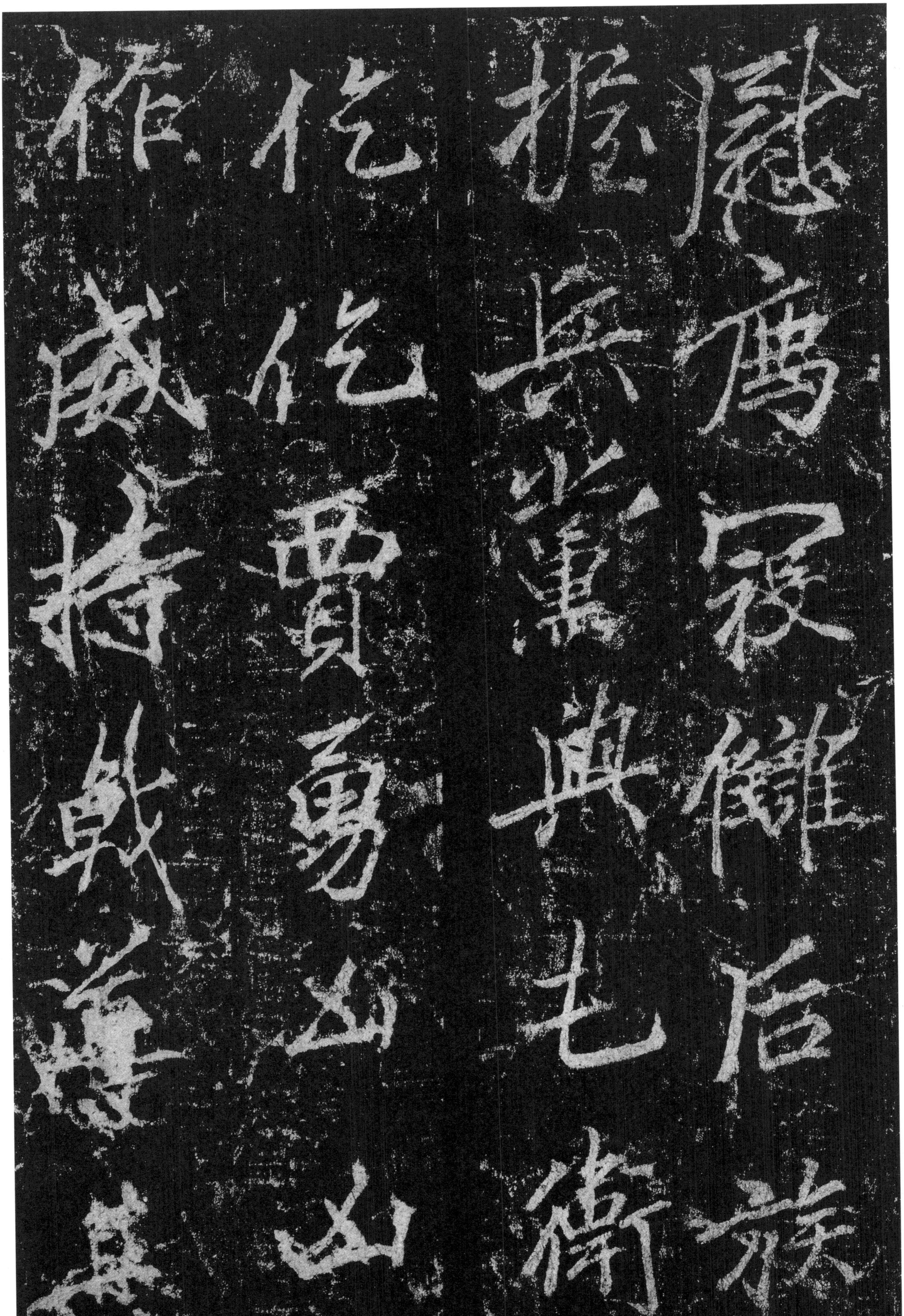

慰荐寇仇。后族握兵，党与屯卫，仡仡贾勇，凶凶作威，持戟导其……

或外廷揣摩，飞白鸟之难。然以楚兵致讨，尝惧季良；淮南荐凶，

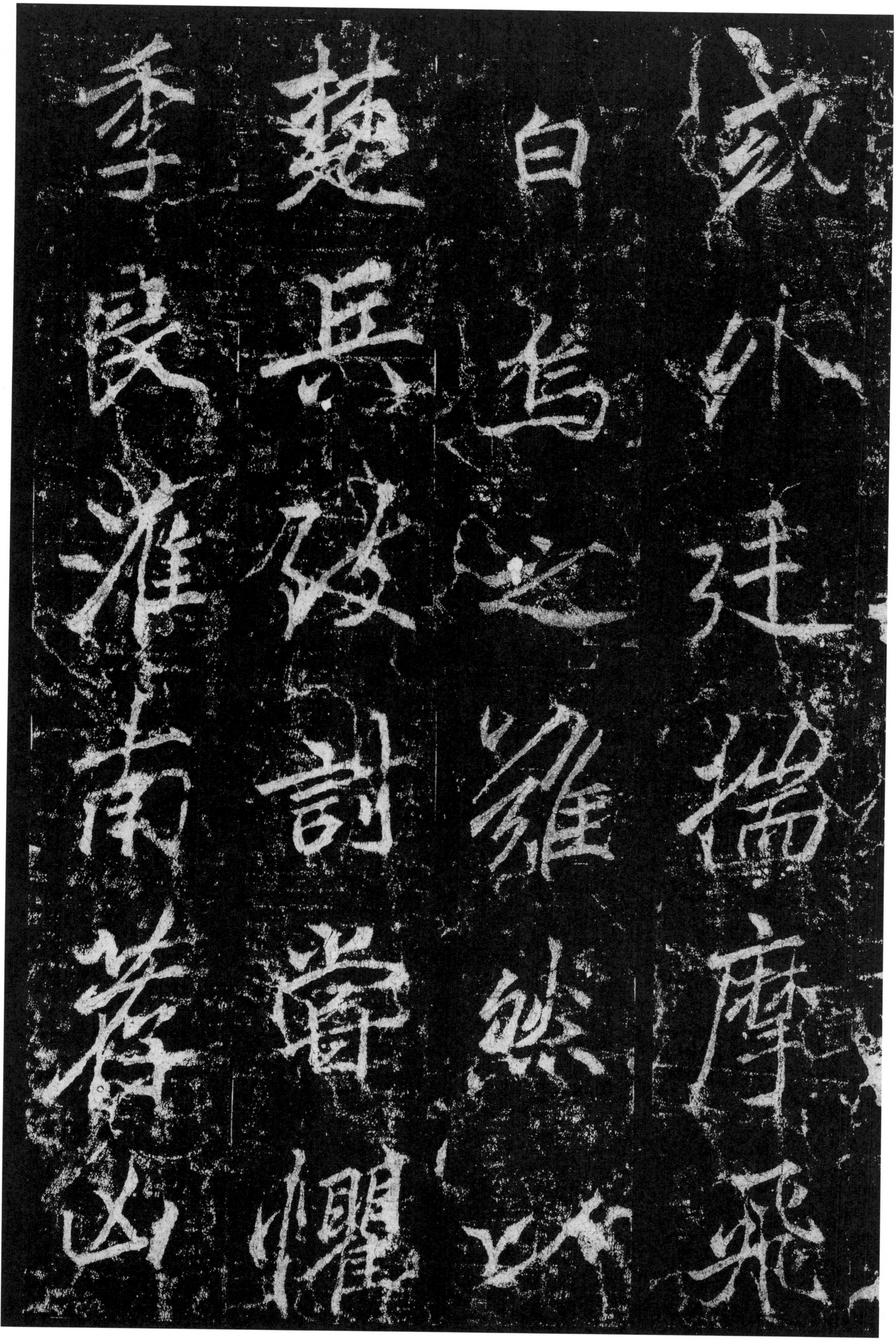

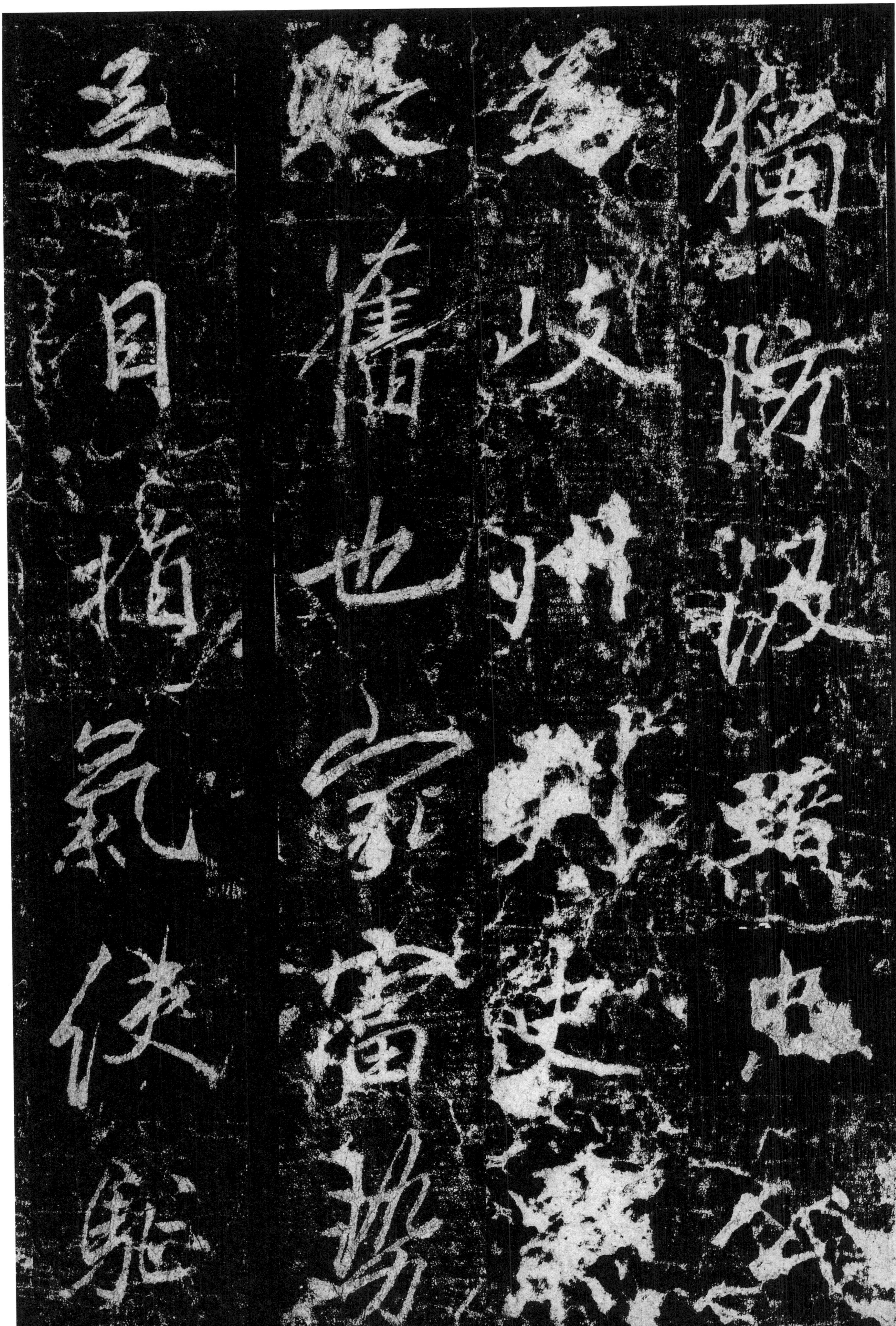

独防汲黯。出公为岐州刺史□贬……旧也。家富势足，目指气使，驱

掠以为浮费，剑戟以为盗夸。公乃急于长雄，绥于□□□□□……

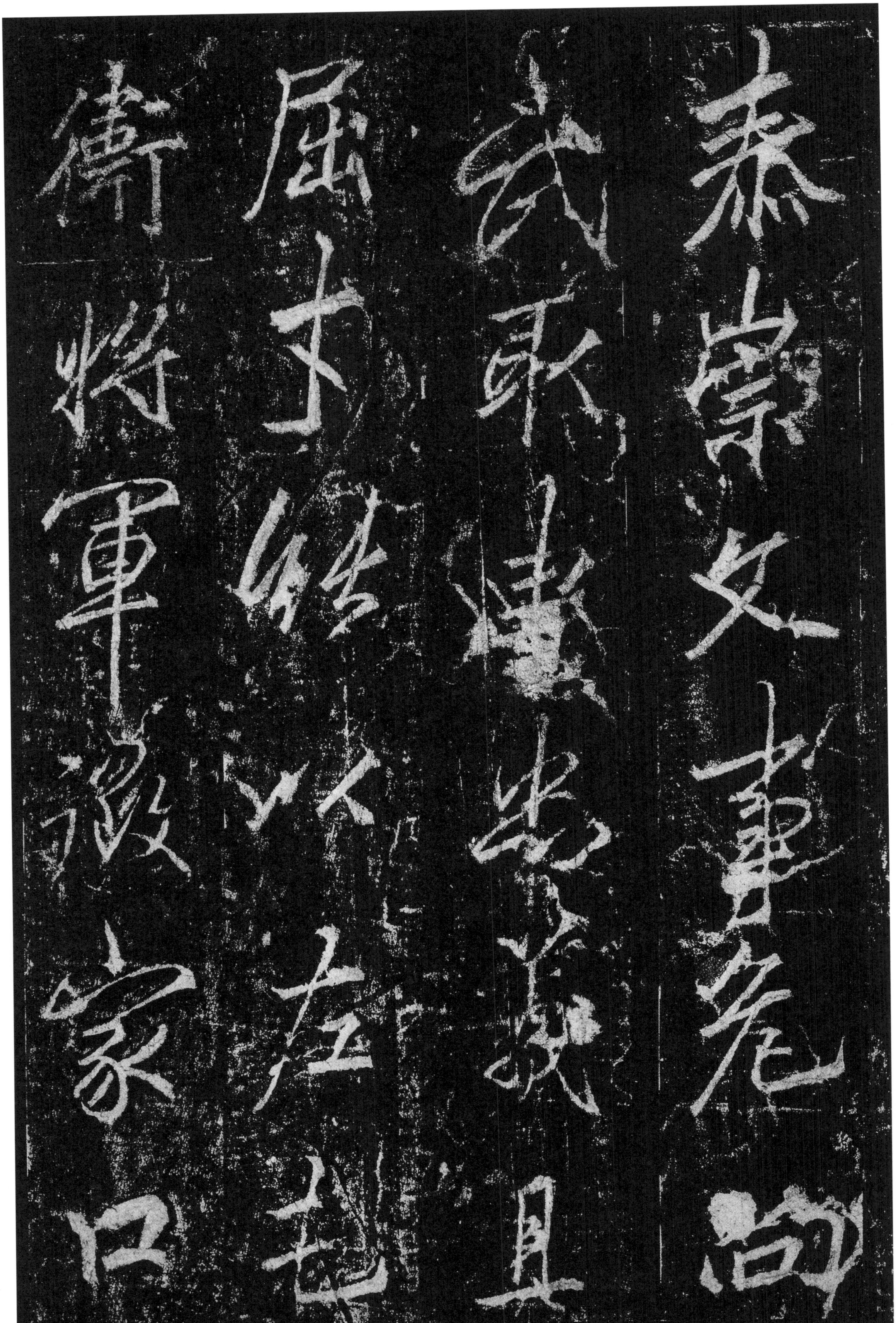

泰宗文，事危尚武，取申忠义，具屈才能，以左屯卫将军征，家口

并给传乘。议者以为式是百□……峤，则文雅洽通故。散骑平迁，侍

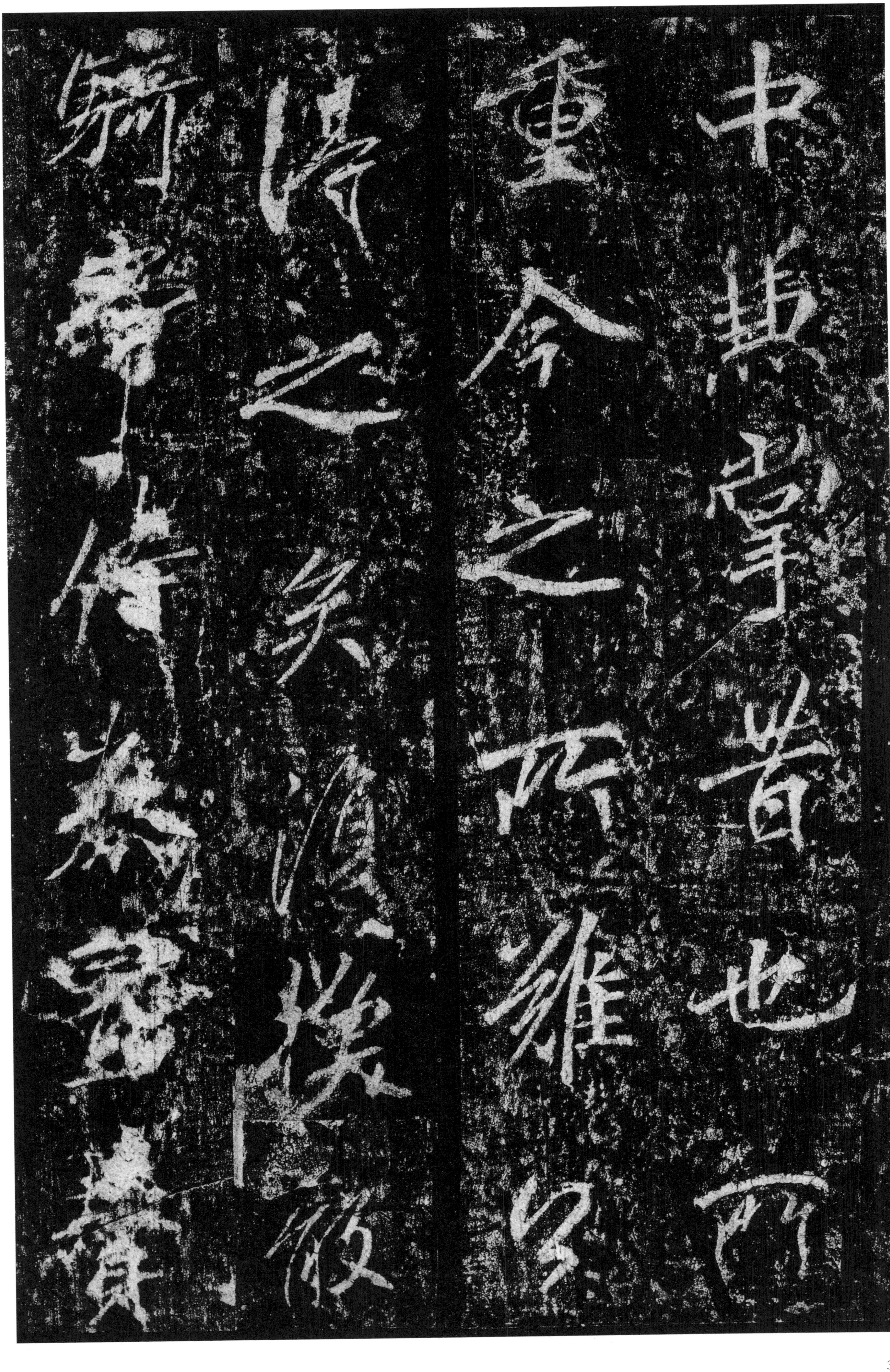

中兼掌，昔也所重，今之所难，公得之矣。复换散骑常侍，泰□□……

相此之再任，以心胥升，故一从一横，一文一武，丈夫也，君子哉。

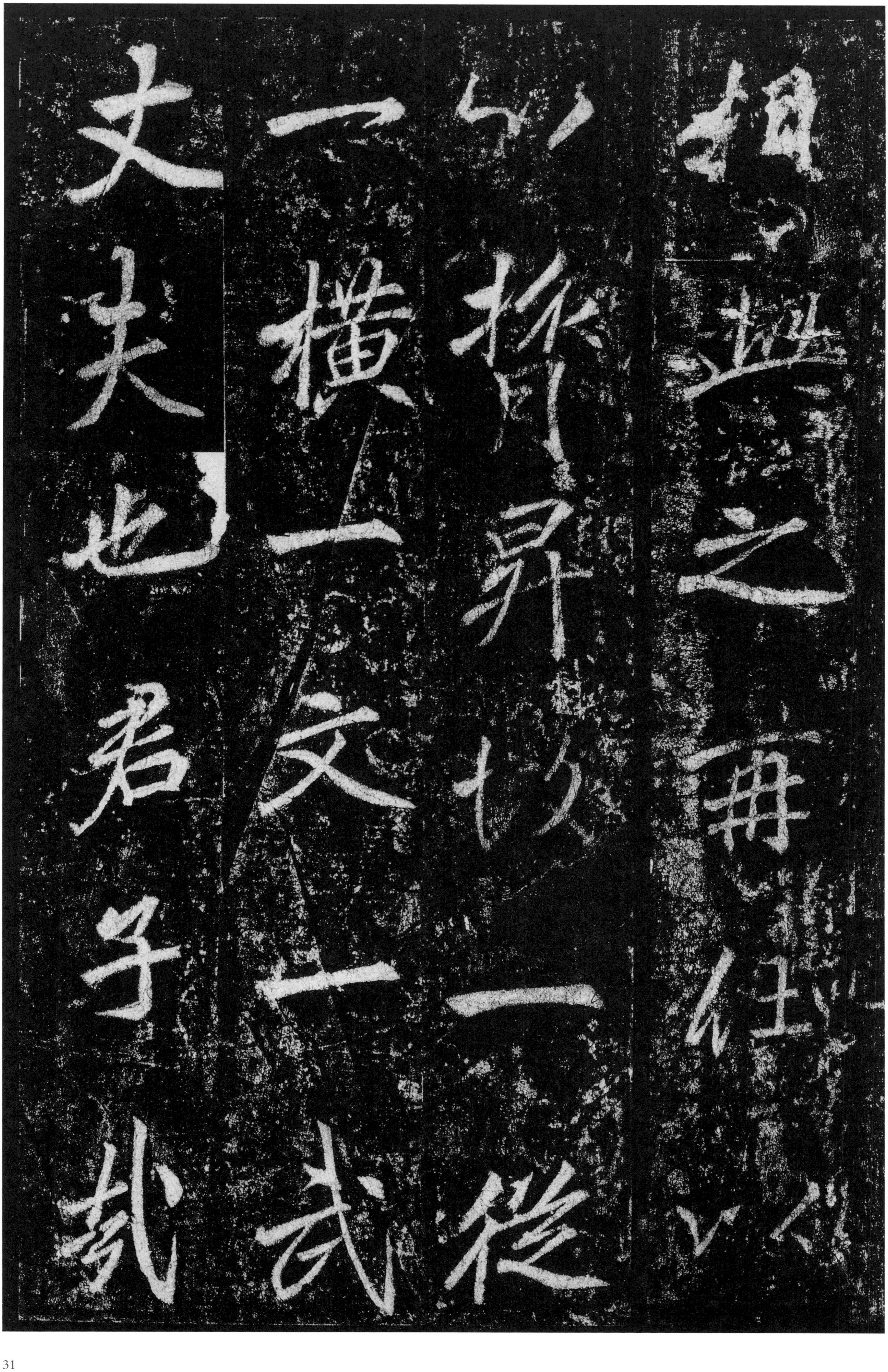

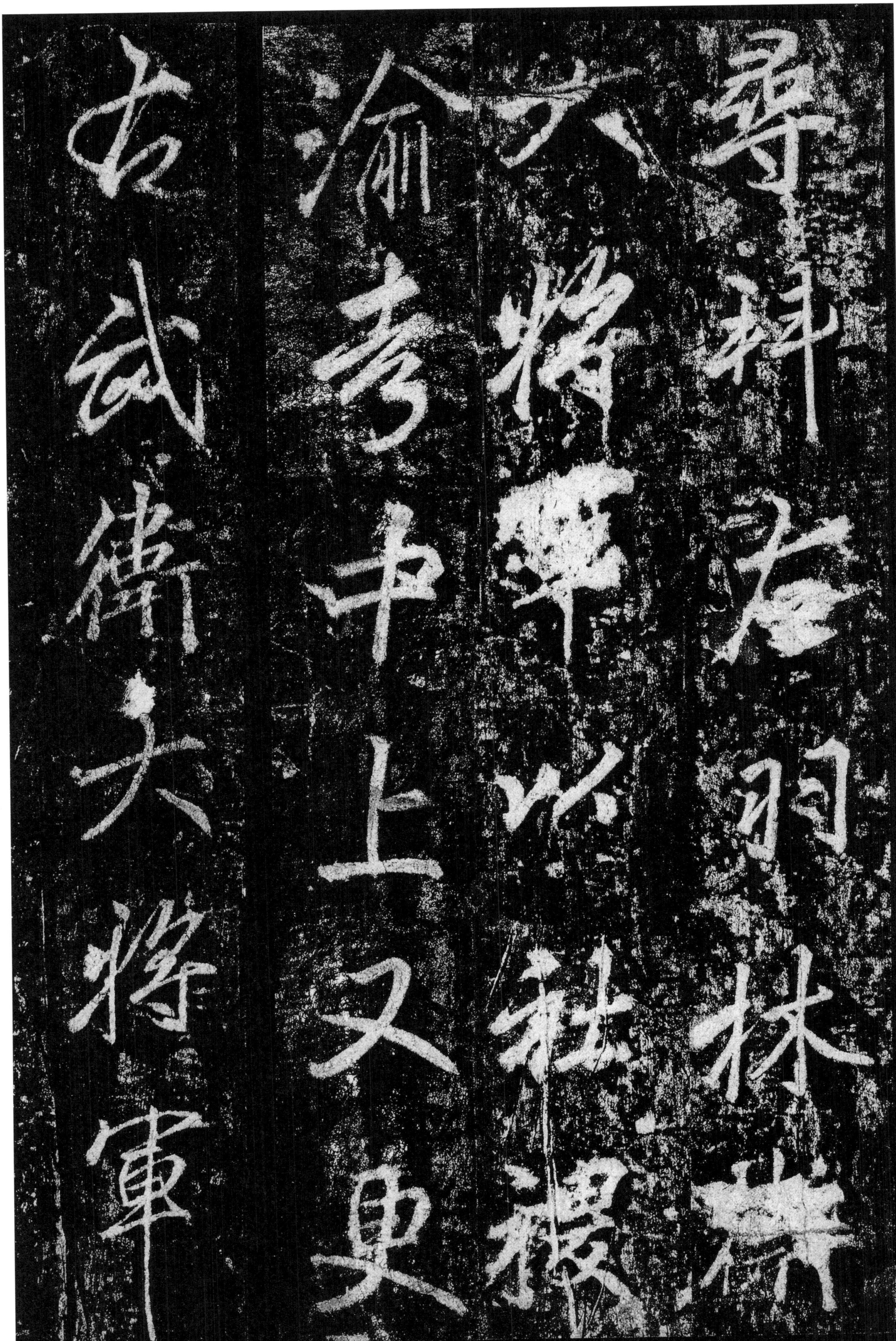

寻拜右羽林卫大将军，以社稷……渝考中上，又更右武卫大将军。

且师丹廉贞，则拜斯职；宋昌心腹，亦登厥官。或以公包□□□……

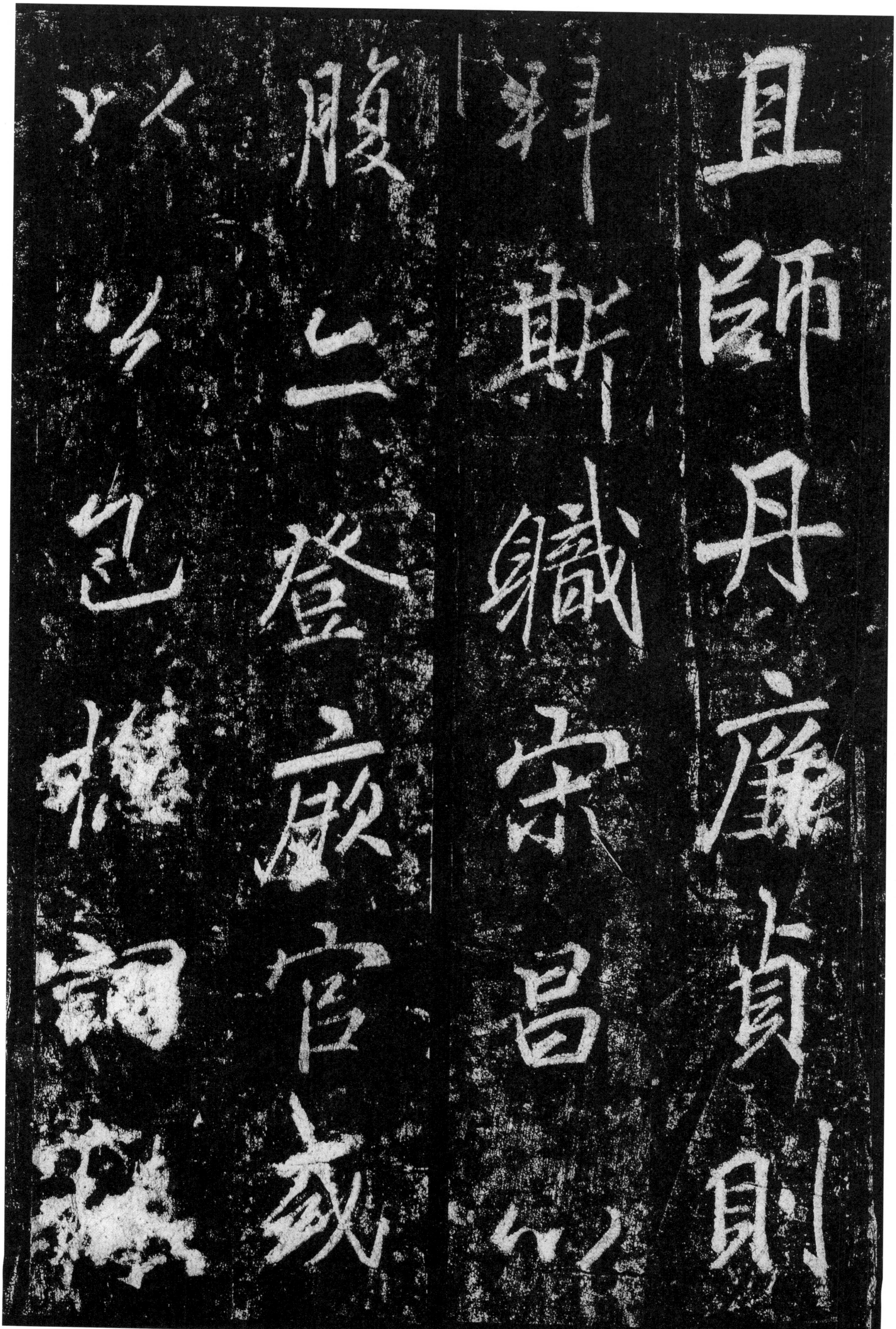

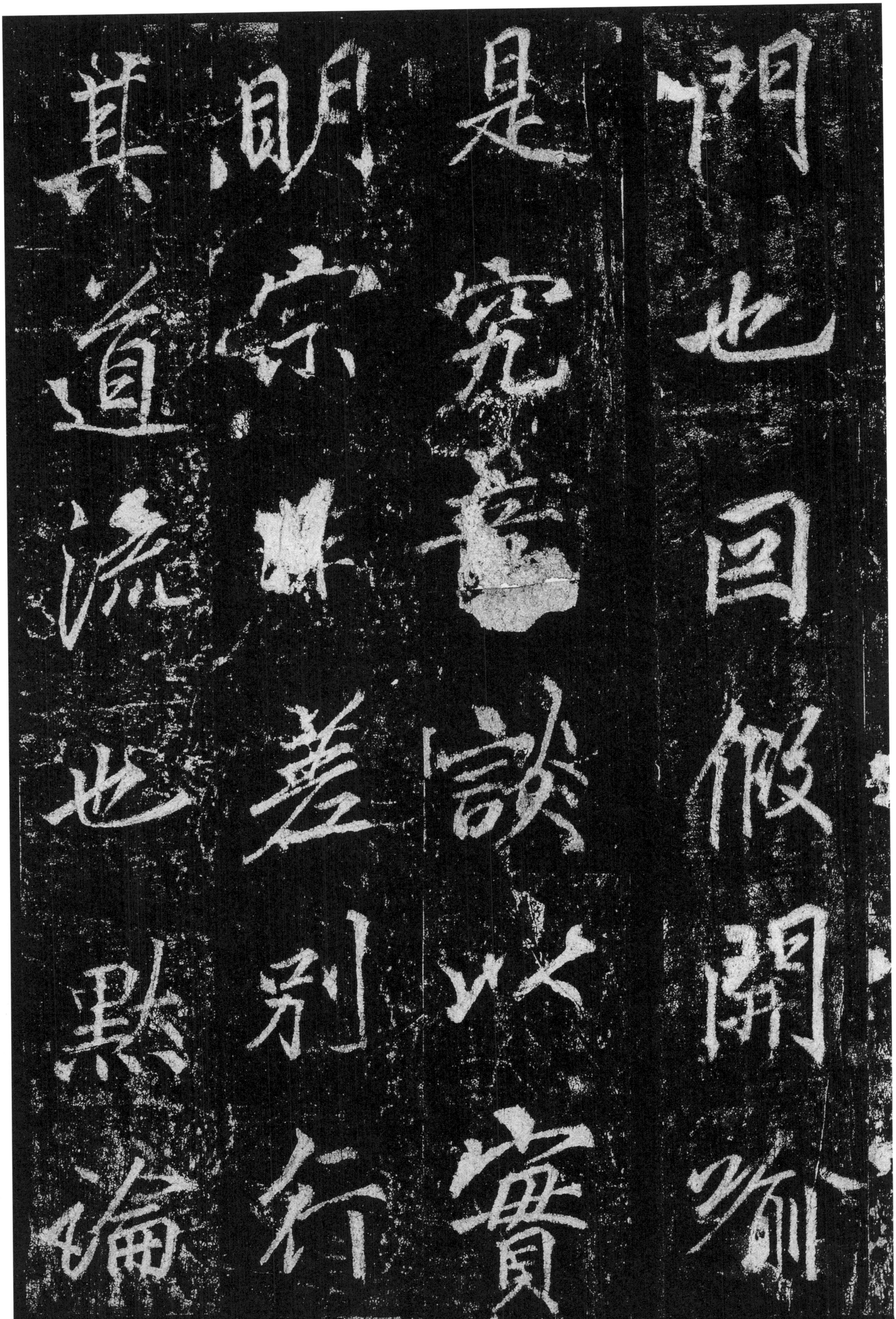
門也回假開喻
是究竟談以實
明宗匪差別行
其道流也默論

门也。因假开喻，是究竟谈；以实明宗，匪差别行。其道流也，默论

参玄，深视见圣，始作□于不□……□皇道。决策谋府，经德智囊，而

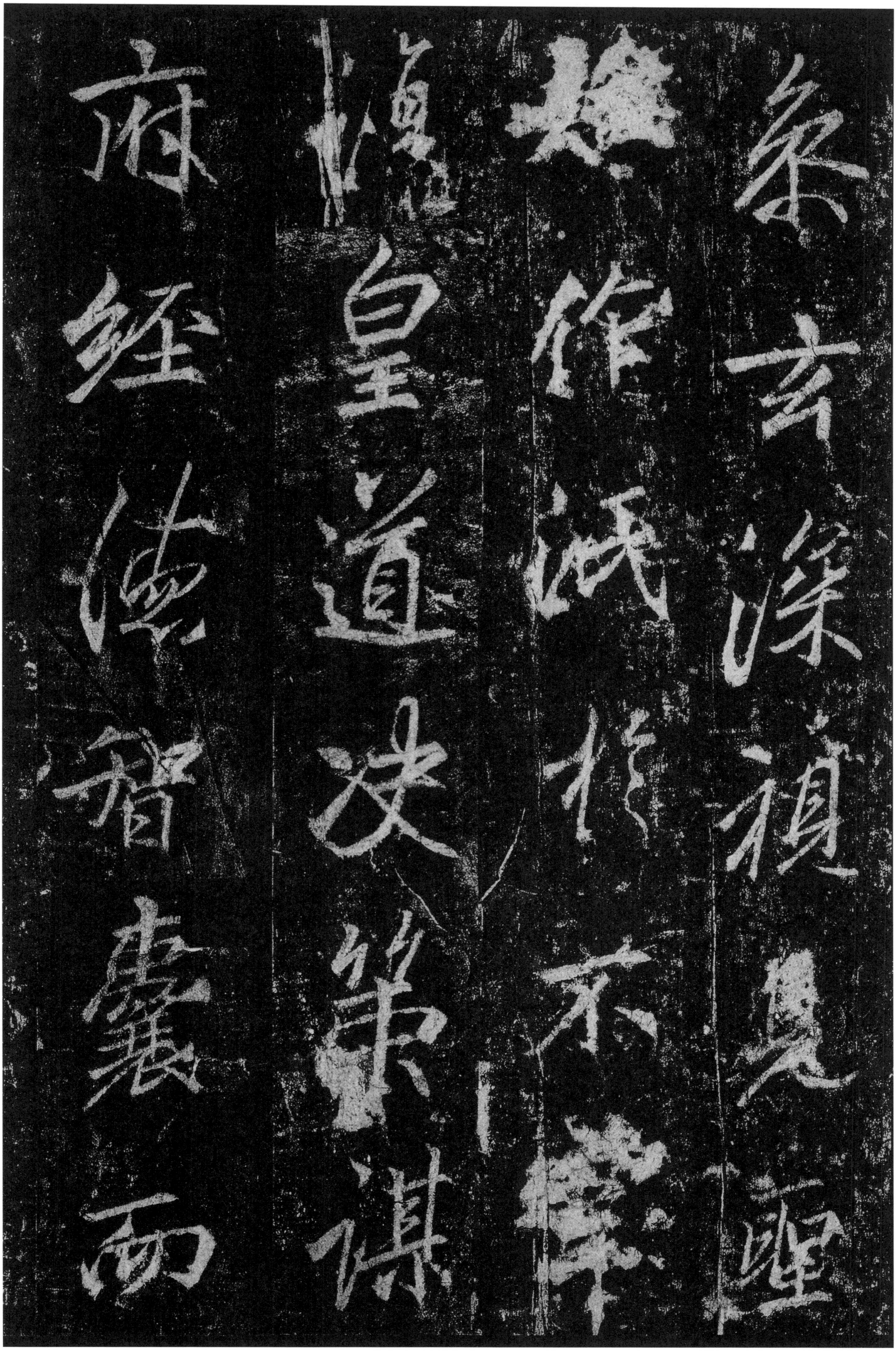

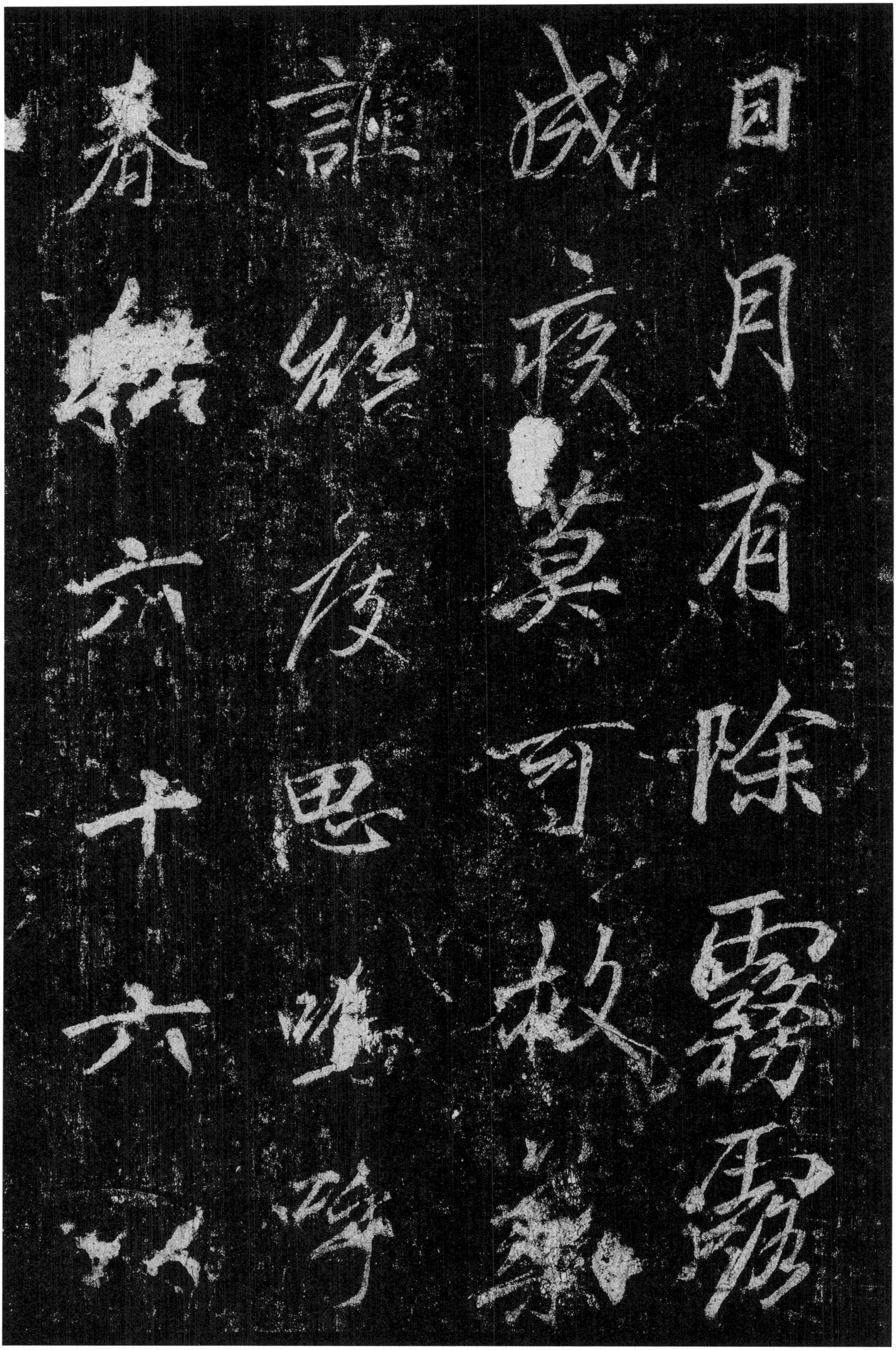

日月有除，雾露成疾，莫可救药，谁能度思？呜呼！春秋六十六，以

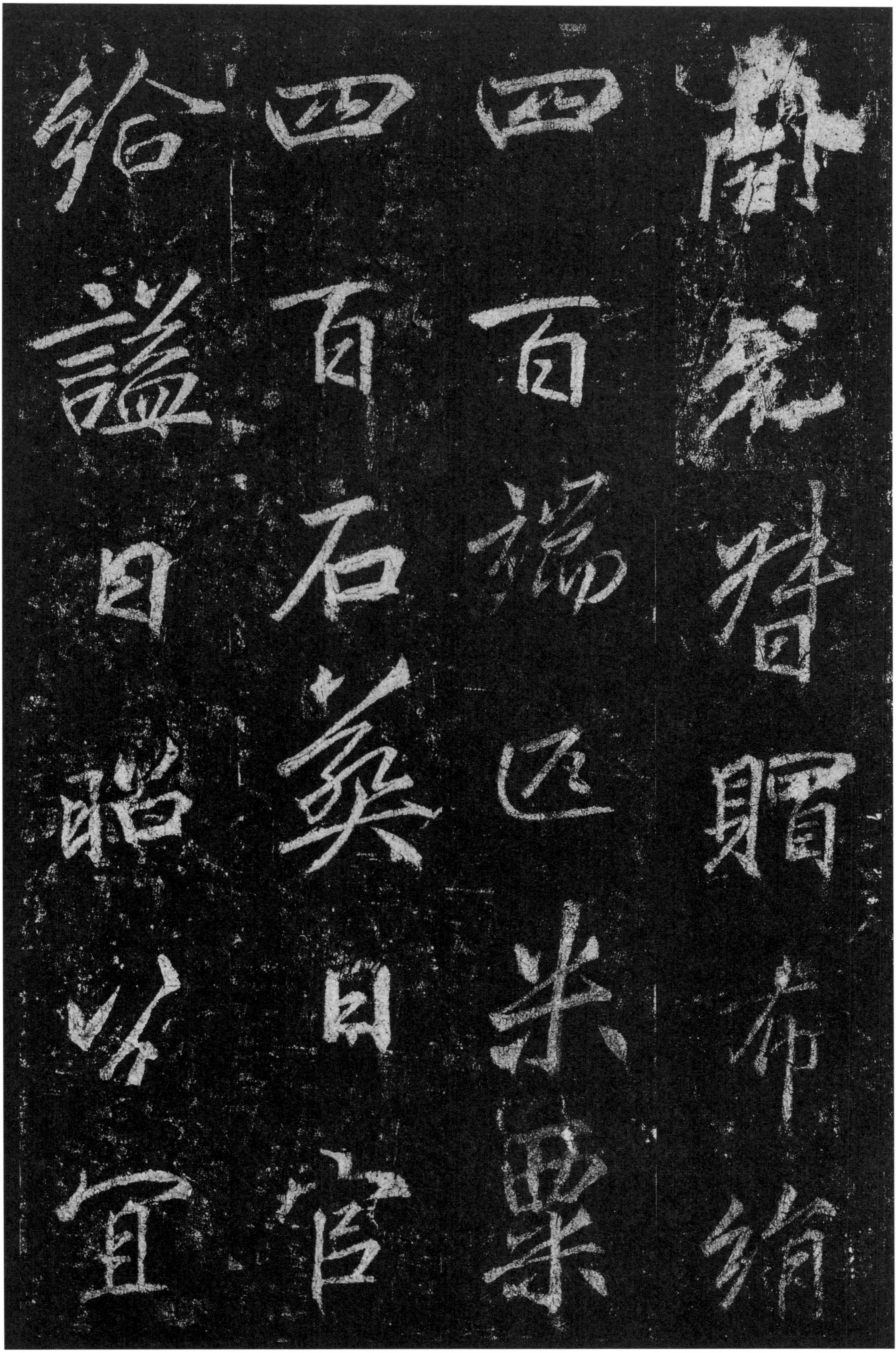

□□……督，赗布绢四百端匹，米粟四百石，葬日官给，谥曰昭公。宜

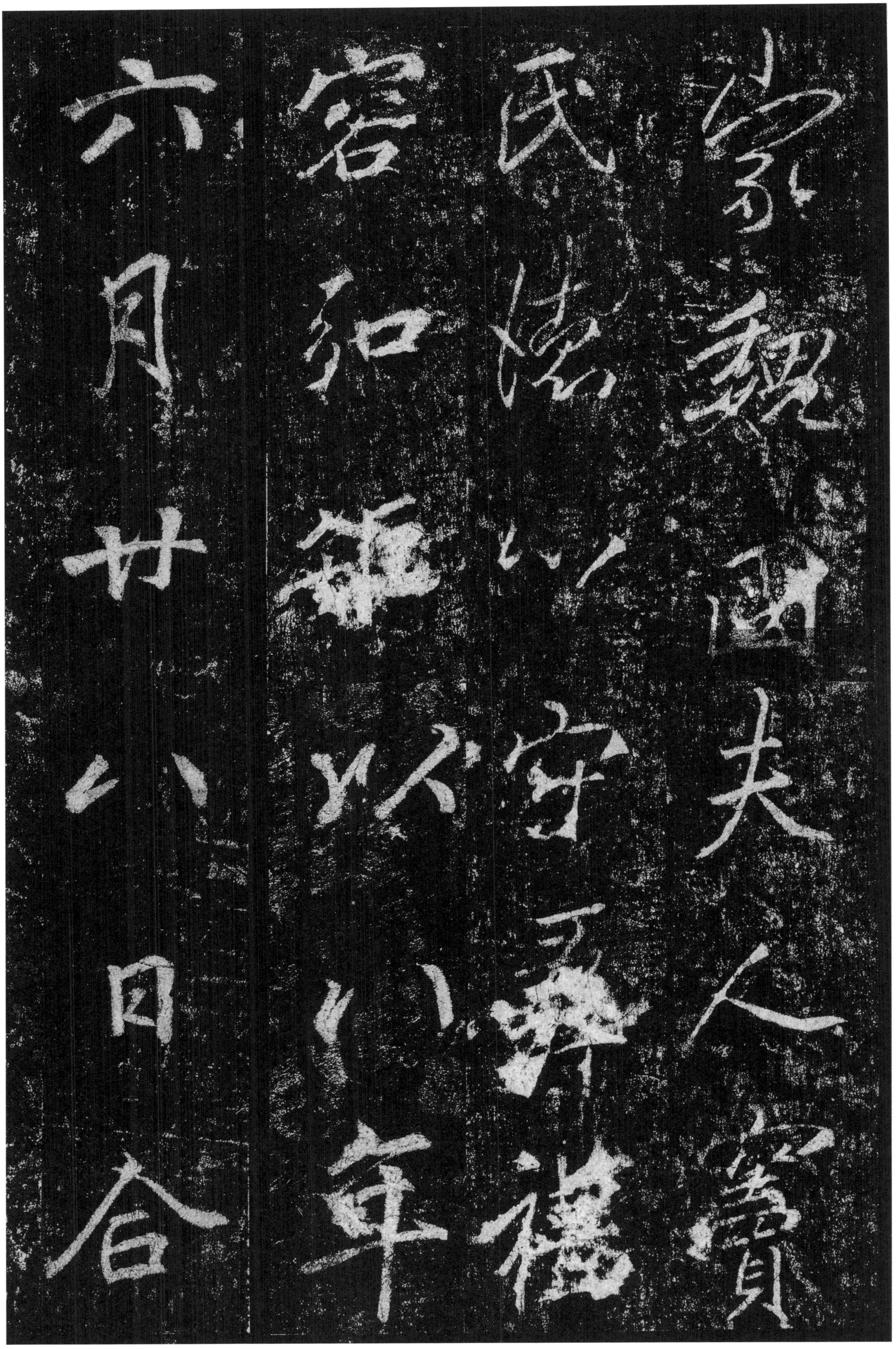

家魏国夫人窦氏，德心守彝，礼容弘□……以八年六月廿八日，合

祔陪于桥陵园，礼也。侄吏部尚书兼中书令、集贤院学

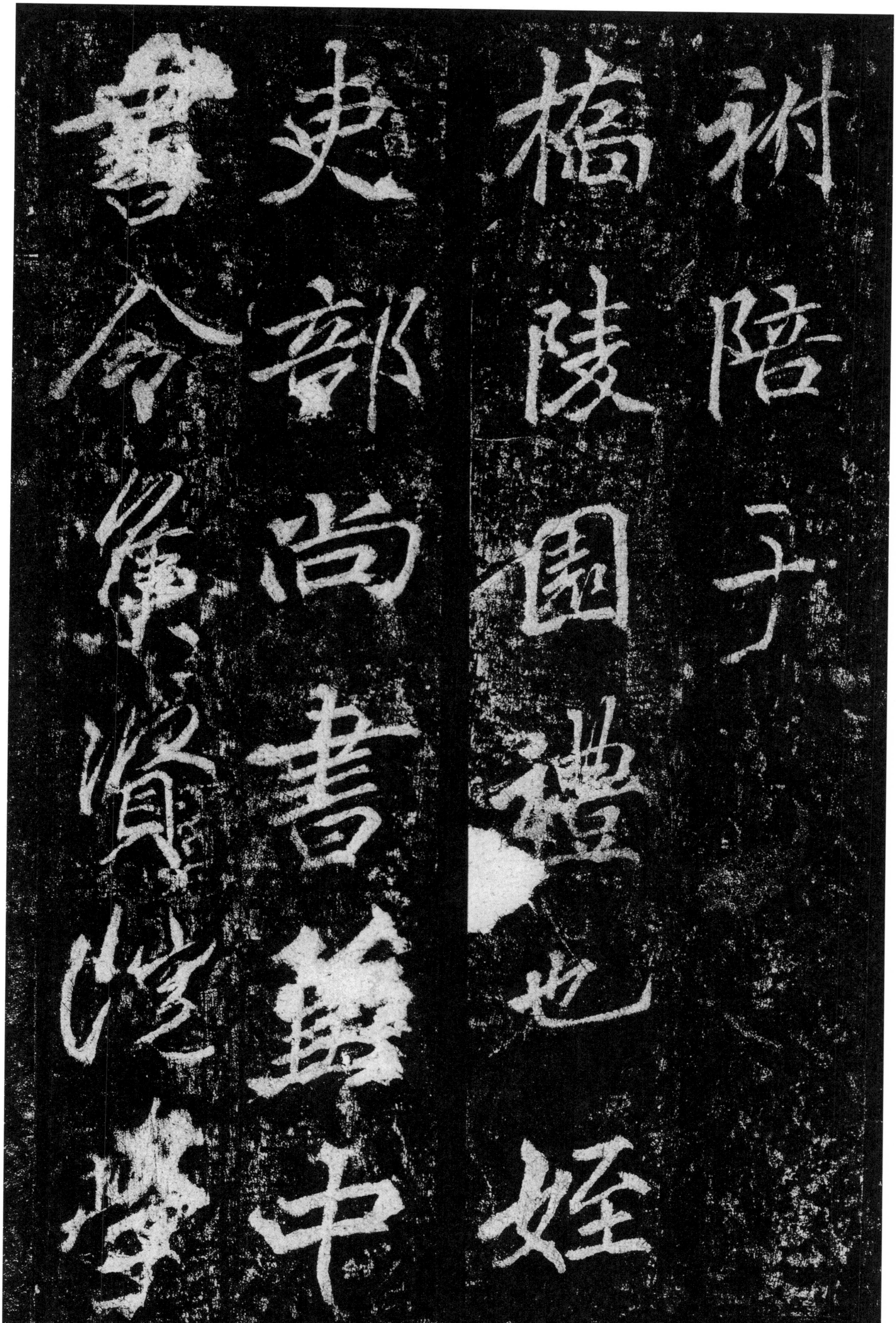

士□□□……布和弘，恕以归厚，刑器有典，轨物有伦，尝追如父之

恩，是切加人之感。相与公之长子朝议大夫……院昭道等，并才名

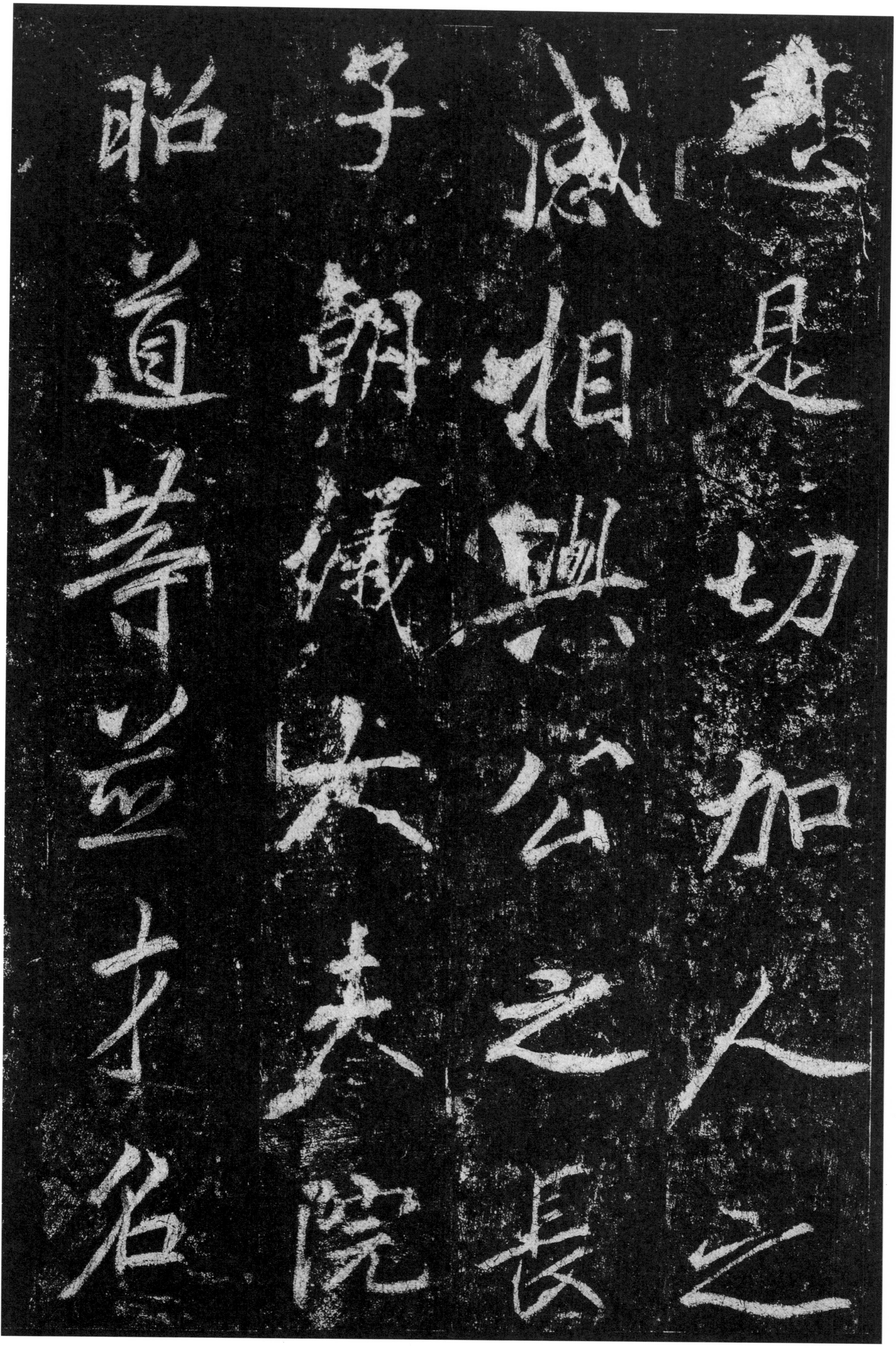

用誉，业尚居多，至性纯深，终天孔亟。尝恐竹简纪事，未极声华，

石字形言再扬……麟定时秀，人才国工。诗书乐地，典礼良弓。率心

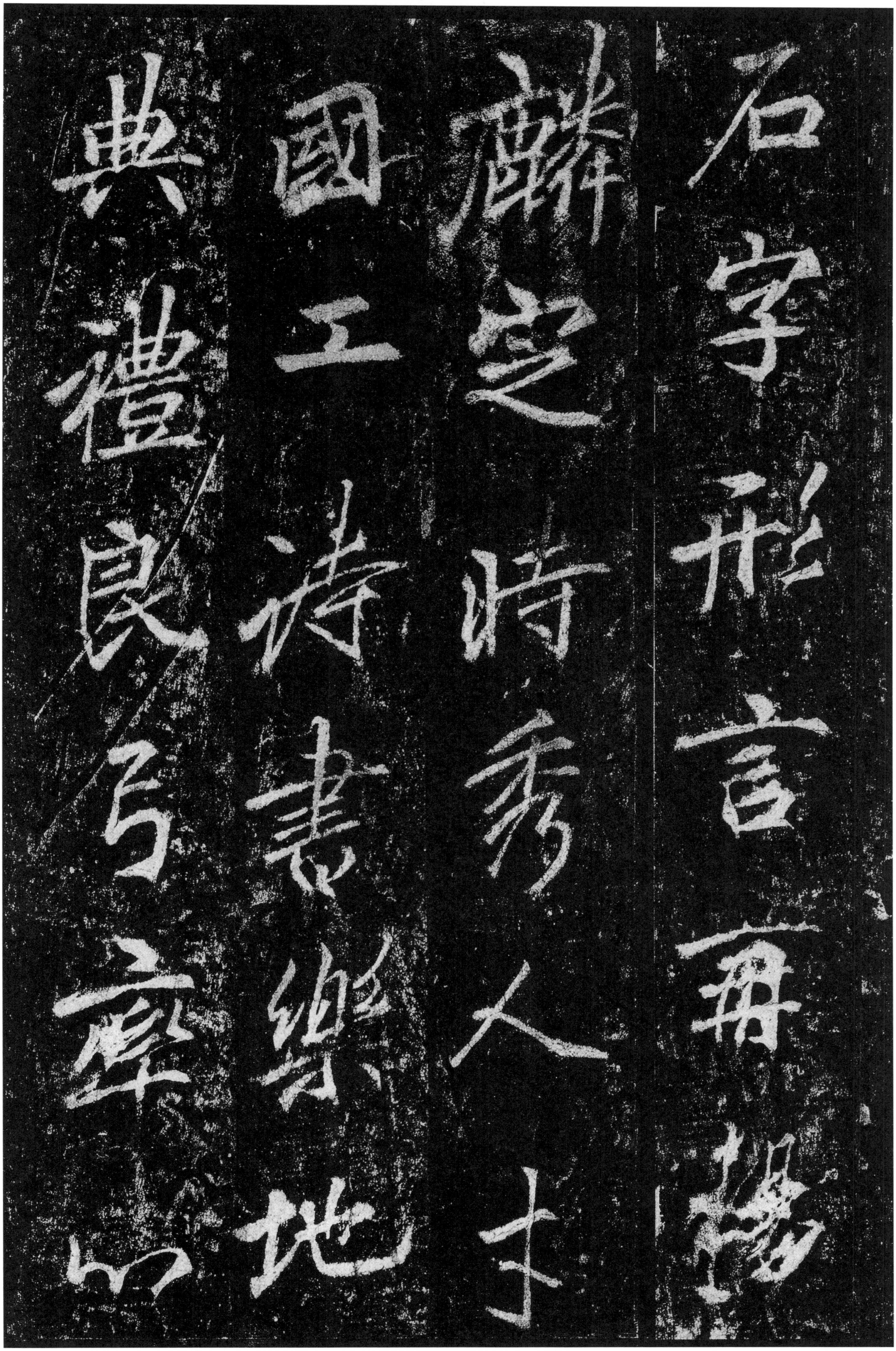

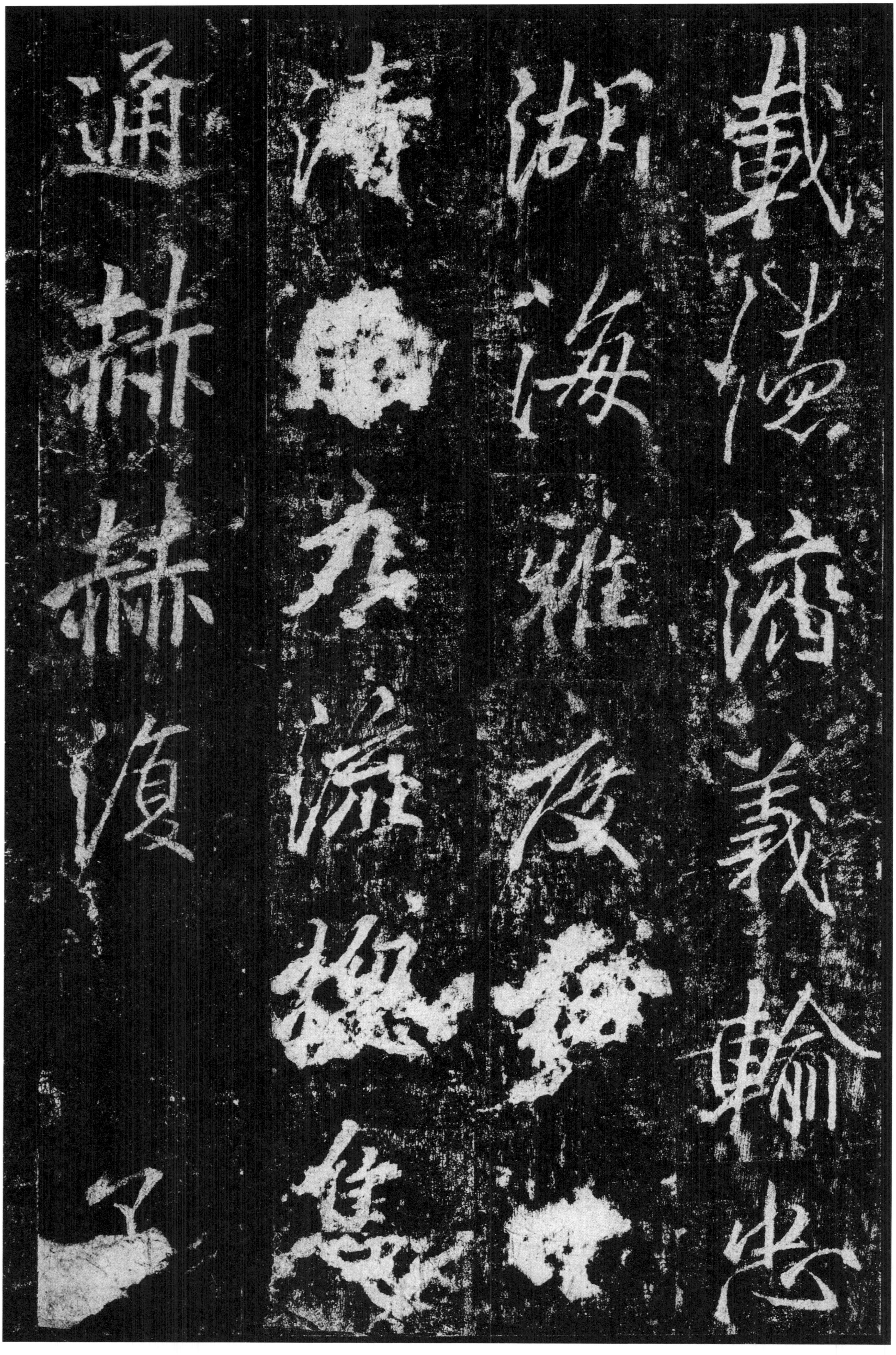

载德，济义输忠。湖海雅度，□□清风，九流□□……通。赫赫复□，

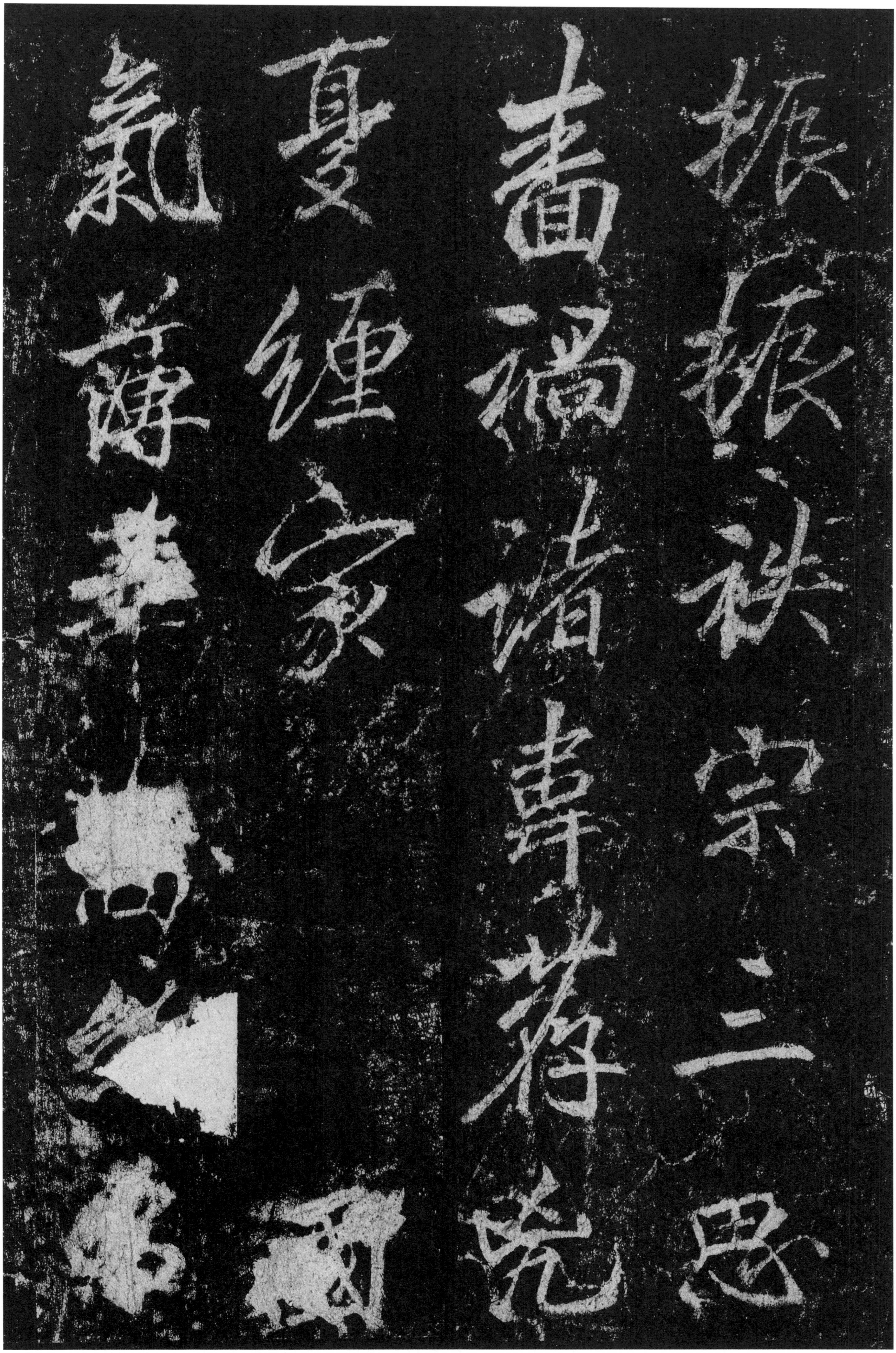

振振秩宗。三思啬祸，诸韦荐凶。忧缠家国，气薄华□□

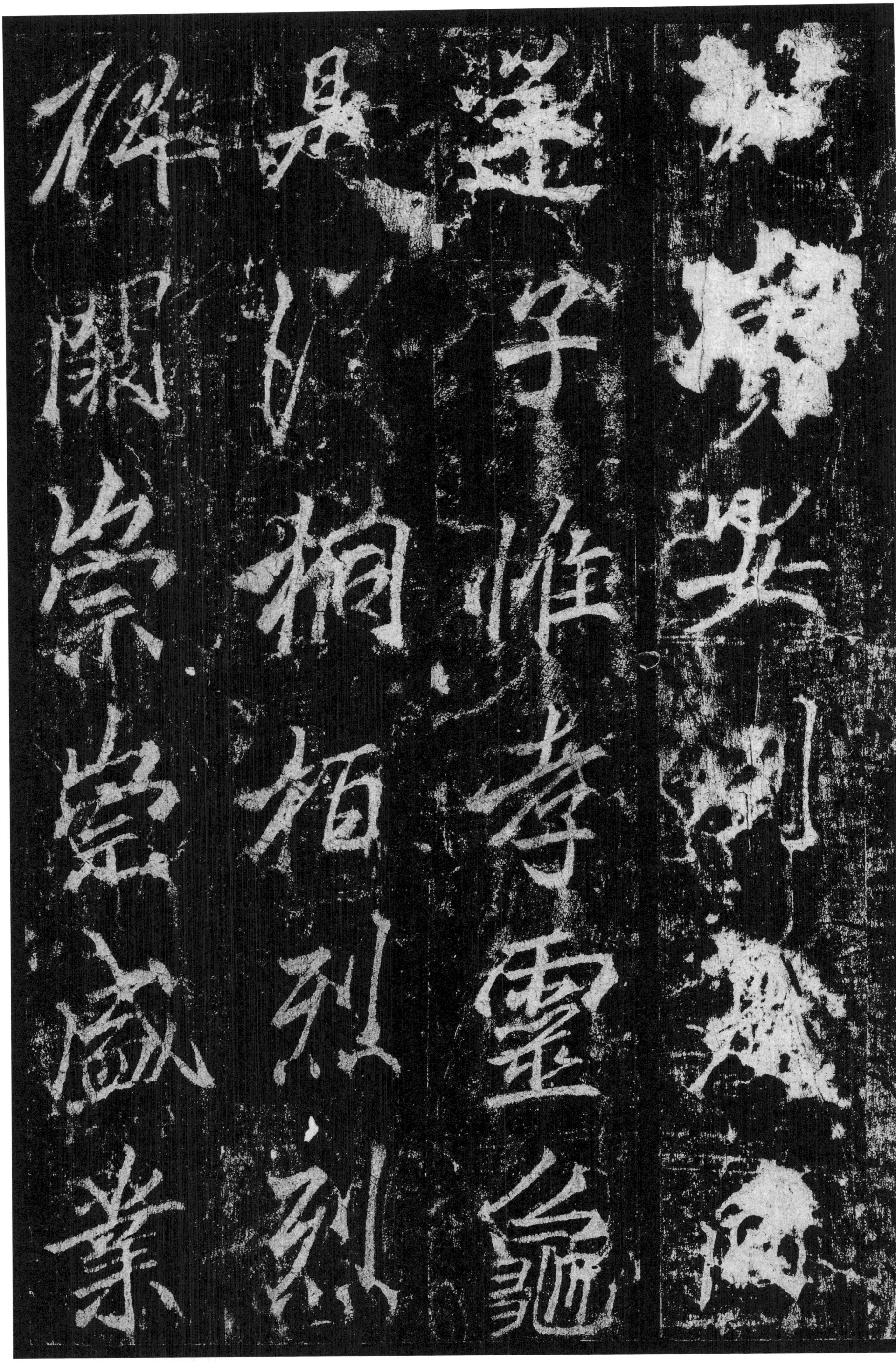

□□安刘……□□子惟孝，灵龟是从。桐柏烈烈，碑阙崇崇。盛业

何许？佳城此中。